出版序

最傳奇的時代，最爆笑的三國

那是英雄輩出的時代，也是活寶遍地的時代！自大的曹操、脫線的孫權、神經質的劉備率領各自的粉絲團，賣力合演了一幕幕妙趣橫生的無厘頭喜劇！

東漢末年，連年天災饑荒，黃巾賊趁勢作亂，敲響了東漢政權的喪鐘。

然而，朝廷裡，宦官與外戚的宮廷鬥爭更加白熱化，年幼的皇帝淪爲傀儡，地方上，擁兵自重的封疆大吏急劇擴張軍事力量。

爲了剿滅宦官勢力，少壯派貴族領袖袁紹、曹操與外戚合作，召來西北軍閥董卓入京，進行血腥大屠殺。這個引狼入室計劃卻造成了更嚴重的混亂，董卓仗恃著一代猛將呂布與優勢兵力權傾朝野，荒淫無度，濫殺無辜，舉國義憤塡膺，討伐聲浪此起彼落。

就這樣，延續了四百多年的大漢帝國名存實亡，接踵而來的是持續一百餘年的亂世，也是中國歷史上的大傳奇時代——三國。

三國，無疑是中國歷史上最耗人腦力、最熱血沸騰的時代，前期上演的是群雄鬥智鬥勇的混戰戲碼。

逃出京城的曹操振臂高呼，糾集了包括袁紹、袁術、劉備、孫堅……在內的十八路群雄會盟，共同討伐董卓。

歷經幾場激烈戰鬥後，董卓挾持皇帝遷都逃亡，十八路群雄內部也爆發利益衝突，隨即分崩瓦解，整個中國籠罩在大混戰的烽煙之中。

爾後，曹操與袁紹爆發了官渡之戰，這場歷史性的戰役讓局勢急轉直下，曹操統一北方，旗下謀臣濟濟，戰將雲集，成爲實力最堅強的霸主。而在江東，孫堅之子孫策和孫權先後接棒，勵精圖治，也有周瑜、魯肅、呂蒙……等一干文臣武將，成爲割據一方的霸主。至於浪跡中原，屢戰屢敗的劉備三兄弟也尋得諸葛亮輔佐，終於有了立錐之地。

赤壁大戰之後，三國鼎立局面形成。從此，從瘋狂的時代浪潮中脫穎而出的這三名英雄霸主各領風騷，上演著談談打打、爾虞我詐的戲碼。

《三國可以很爆笑》是第一部無厘頭趣味歷史，作者別開生面，以詼諧幽默調侃卻又忠於歷史的現代語言，爲讀者全新演繹輝煌而混亂的三國崢嶸歲月，將中國最絢爛的黃金時代演繹得精采紛呈，使讀者更深入瞭解這段魅力十足的歷史，和一群生動活潑的亂世英雄。

在作者筆下，那是一個英雄輩出的時代，同時也是一個活寶遍地的時代！自大的曹操、脫線的孫權、神經質的劉備率領各自的粉絲團，賣力合演了一幕幕妙趣橫生、精采迭出、笑死人不償命的無厘頭喜劇！

看著他們搏命搞笑，你會驚喜地發現，原來三國也可以這麼爆笑。

本書以《三國演義》爲框架，同時參照眾多歷史資料，以無厘頭搞笑的形式重新笑看三國爭霸風雲。

這是一本讓人捧起就放不下的經典讀物！

三國歷史的另類解讀，陰謀陽謀的搞笑演繹，盡在此書中。

【出版者】最傳奇的時代，最爆笑的三國

第 39 回

劉備三請諸葛亮

第三次，劉、關、張吸取了上兩次的教訓，商量好把工資定到心理防線，禮物也花了血本，誰知道諸葛亮聽了並無什麼反應。

這天，劉備騎著馬去趕集，打扮另類的徐庶攔住了去路：「大哥！你這馬多少錢買的？」

劉備一看徐庶對自己的馬感興趣，就下了馬反問：「你看值多少錢？」

徐庶：「白給我，我都不要。」

劉備一聽大怒：「滾！哪涼快待哪去！」說完就要跨上馬走開。

徐庶又攔下說：「別介呀！你聽我說完再走也不晚嘛。」

劉備沒好氣地說：「那你說說看，我這麼大一匹馬，怎麼個不值一分錢？」

徐庶指著給劉備看：「這馬有淚槽，屬的驢種，騎了會害主。」

劉備以前也聽伊籍說過此事，看來這人是有點來歷，就問：「你難道是諸葛亮、龐統其中之一嗎？」

徐庶拿出畢業證書給劉備看，「我雖然不是諸葛亮，也不是龐統，但也是外國著名軍事指揮學院畢業的，這是畢業證。其實，我知道你叫劉備，特地想來這個辦法找工作的。」

劉備對著日頭照了照鋼印，看著好像不是花幾十塊錢買來的那種，當看到「徐庶」兩個字時，感覺有點眼熟，狠想猛想，一拍腦門：「啊！你就是那天晚上到司馬徽家的那個吧？」

徐庶不好意思起來：「是，就是他推薦我找你的。」

劉備：「既然都是朋友，那我先面試一下啊！你說，那我這馬該如何處理？」

徐庶：「這還不簡單？你把這馬送給你最恨的人不就得了。」

劉備一聽說：「你這小才看來不正道。」說完又要走。

徐庶一看這招不靈，連忙說：「別介呀！剛才你在面試我，我也在面試你，我想看看你是不是損人利己的那種人。」

劉備這才平息了怒氣，兩人商定了試用期的期限，以及正式錄用後的待遇。

話說曹操自從收拾了袁紹之後，一直想再接再厲收拾劉表，就派曹仁、李典帶了三萬兵去打劉備。劉備對徐庶說：「是馬是騾，這下就看你的了。」

徐庶：「你就放心吧！小菜一碟。」

劉備：「先別吹牛逼，打勝了再說。」

果然，在徐庶的英明領導下，劉軍不但打敗了曹操的三萬兵，還捎帶著攻下了曹操的樊城。劉備大喜，提前結束了徐庶的試用期。

徐庶這哥們是從哪裡冒出來的？這麼厲害！曹操大驚，下令不惜一切代價，想盡一切辦法拿下徐庶。

有人給曹操出主意抓了徐庶的老媽做人質，不怕徐庶不來。曹操同意，抓來徐母後，讓她給徐庶打電話，誰知道這徐母倔得很，寧死也不打。曹操沒法，只得以徐母的名譽給徐庶發電報，直說自己被曹操綁爲人質，讓徐庶快來曹營救自己。

徐庶收到電報後，連忙向劉備辭職去看母親，劉備無奈，只得依依送別。

徐母一看徐庶出現在曹營，大罵徐庶太蛋白質，連個電報都辨不出真假，罵完後居然自盡了。

劉備失去了徐庶，更下定了決心重聘諸葛亮。這天，劉備、關羽、張飛三人來到集上選來選去，最後一致認定腦白金和黃金搭檔廣告做得最火，就各買了一盒提著到隆中去見諸葛亮。

敲了老半天的門才出來一個小孩，劉備問：「小屁孩！諸葛亮在家嗎？」

小孩嘴嘛得老高：「你才小屁孩呢！我都十六歲了，只是長得矮而已。」

劉備連忙說：「我這黃金搭檔廣告說『個子長高，不感冒』，你用了正好。」

這時候，屋內傳來一個聲音問：「誰呀？」

小孩衝裡面說：「推銷保健品的。」

裡面的聲音不耐煩地說：「轟他們走！」

劉備連忙給小孩解釋：「我不是推銷保健品的，我是來請諸葛亮當軍師的。」

小孩問：「你是誰？」

劉備：「我是劉備。」

小孩：「沒聽說過。」

劉備：「漢左將軍宜城亭侯領豫州牧皇叔劉備。」

小孩：「噢——」

劉備：「知道了吧？」

小孩：「還沒聽說過，你就直說你領多少兵，能給多少工資吧。」

劉備就給小孩說了，小孩聽了之後到屋內傳話，過了一會兒出來回話：「我師父說他不在。」

劉備見諸葛亮不給面子，沒法子，只得放下禮物走人。路上，張飛說：「諸葛亮肯定是嫌咱們禮物輕。」

關羽說：「諸葛亮肯定是嫌咱們兵少。」

劉備說：「你們說的都對，又都不對，諸葛亮最主要是嫌工資低。」

第二天，劉、關、張三人又買了三五煙、XO酒去見。敲了老半天的門，這次出來的是一個成人，劉備連忙問：「你就是諸葛亮吧？」

那成人說：「不是，我是他弟弟諸葛均，我哥他不在家。」

張飛生氣：「靠！不就是一個破農民工！他擺這譜也擺得太大了吧？老誆我們說不在。」說著就推搡諸葛均要強行進裡面找。

諸葛均也來氣了：「我警告你！你這叫私闖民宅，不聽警告的話，我可要撥一一〇了啊！」

劉備不想把事情鬧大，趕緊拉著張飛訓斥他。諸葛均這才消了氣：「你們誰是老大？找我哥有什麼事？他去朋友家轟趴了，不過，我可以給他打電話。」

劉備就把事情的原委跟諸葛均說了，最後又把上次的工資漲了點。諸葛均聽完就給諸葛亮打電話，複述了一遍。

諸葛均掛了電話說：「我哥說『以後再說吧』。」

劉備無奈，只得把三五煙和XO酒遞給諸葛均要走。

諸葛均接過來一看說：「你們這是不良示範！我哥說了，煙裡面有尼古丁，酒裡面有酒精，你們想害死我哥？」

劉備聽了不好意思：「對不起啊！那我下次買不危害健康的東東。」說完就要把煙和酒拿回來。

誰知道諸葛均把煙和酒放進了自己的臥室，說道：「我哥怕死，我不怕，我是見了煙酒就不要命的人。」

第三次，劉、關、張吸取了上兩次的教訓，商量好把工資定到心理防線，禮物也花了血本買了五百G內存八百G硬碟的筆記型電腦和最新的MP8，看來是勢在必得。門敲了一陣子後，出來一個比諸葛均大一點的人，劉備不敢冒認，問：「你是諸葛亮的什麼人？」

諸葛亮：「我是諸葛瑾的弟弟，諸葛均的哥哥，諸葛亮正是我本人。」

劉備聽了大喜，連忙把禮物奉上，並說了工資待遇。誰知道諸葛亮聽了並無什麼反應，只是把他們三人讓到客廳喝茶。

劉備哪裡有這心情？看諸葛亮一直不答，就催問：「Yes還是NO？」

諸葛亮：「NO！」

劉備不解：「工資已經定得夠高了！」

諸葛亮直說：「我想再等等，說不定過兩天曹操會聘我，能給更高的待遇。」

劉備：「我一直幹這行，我會不懂？軍師最高也就是這個待遇了，再說了，曹操有大將謀士一兩千人，你去了哪有用武之地？」

諸葛亮沉思了一陣說：「退而求次之，孫權、劉表也行啊。」

劉備自知比不過，只得說：「我跪下給你磕頭行不？要多少，你說吧！」說完「撲通」一聲就跪下了。

諸葛亮嚇了一跳，但立場還是很堅定：「磕多少個響頭也不頂事兒。」

劉備聽了更失望，看來煮了三次的鴨子要飛了，就抱著諸葛亮的腿哭了起來。

諸葛亮：「哭也沒用。」

劉備：「嗚嗚嗚，你不跟我幹，我就賴在你家不走了，嗚嗚嗚，吃你的嗚嗚嗚……穿你的嗚嗚嗚……」劉備一邊哭一邊把眼淚和鼻涕往諸葛亮的褲腿上抹，諸葛亮哪受得住這般糾纏？只得同意，劉備這才破涕爲笑。

第 40 回

諸葛亮牛刀小試

兩軍開打，曹軍果然按照諸葛亮編好的作戰程序一一中計，又是被火燒，又是被追打，被殺得潰不成軍，倉皇逃回許昌。諸葛亮的處女戰打得漂亮。

話說諸葛亮正在操練士兵，劉備正待在一邊看，有間諜匆匆來報，說曹操派了十萬兵來打新野。

劉備聽了兩腿發抖，問諸葛亮：「阿亮，咱們只有幾千人，肯定打不過，要不，撒開腳丫子跑吧？」

張飛聽了，小聲對關羽說：「諸葛亮拿了那麼高的薪水，讓他一個人打不就得了？」關羽點頭稱是。

張飛聲音雖小，但還是被劉備聽了個大概。劉備斥責道：「現在是看笑話的時候嗎？計策靠諸葛亮，打仗還得靠你們哥倆，如果光靠諸葛亮一個人就行，你倆早被我炒了魷魚！」

張飛和關羽聽了，只得裝作很聽話的樣子，儘管心裡還不服氣。

劉備又說：「下面由軍師諸葛亮給大家訓話，大家呱嘰呱嘰！」

所有人都沒見過諸葛亮有什麼能耐，並不看好他，劉備讓「呱嘰呱嘰」，大家就應付著零零落落拍了幾下掌。

諸葛亮給大夥分析了敵我形勢，說了一些很有煽動性的動員話語後，又給所有的將士一一指派了任務。

關羽：「你安排我們全都出去打仗，你自己幹什麼？」

諸葛亮：「我在家裡睡大覺啊！」

張飛：「靠！我們都出去拼死拼活，你一個人好爽，我們命好苦呀！」

劉備斥責道：「不得無禮！各位趕快按諸葛亮的《作戰手冊》執行吧。」

兩軍開打，曹軍果然按照諸葛亮編好的作戰程序一一中計，又是被火燒，又是被追打，被殺得潰不成軍，倉皇逃回許昌。

諸葛亮的處女戰打得如此漂亮，這下所有人都心服口服，關羽、張飛見了諸葛亮更是倒頭便拜，連豎大拇指。

劉備給諸葛亮發完獎金後，拍著諸葛亮的肩說：「阿亮，你還真有兩下子，真是佩服得緊！」

但諸葛亮反而憂心忡忡地對劉備說：「咱們打敗了曹操的十萬大軍，曹操必然會派更多的兵來打咱們。」

劉備一聽，搓著兩手直在原地打轉，「你別嚇唬我，我膽可小了，這可怎麼辦？這可怎麼辦？」

諸葛亮呵呵一笑：「別急，我早替你想好了一條妙計。」

劉備一聽有妙計，鬆了口氣說：「你又在開涮我不是？什麼妙計？快快說來讓我聽聽。」

諸葛亮：「新野太小，經不起曹操打，聽說劉表已經老得不中用了，現在又有病，咱們趁機奪了荊州，不就有地方待了？」

靠！這種缺德事你也想得出來！劉備聽了直搖頭：「劉表待我不薄，我也不能不義，這餿主意不行。」

諸葛亮歎口氣說：「你不奪，荊州早晚也得被曹操奪走，到時候，你腸子悔青也來不及了。」

劉備：「不仁不義的事，打死我也幹不出來。」

諸葛亮：「你真是太善良了，那以後再慢慢打算吧。」

曹操果然不服氣，親自帶了五十萬大軍殺奔而來。行前，孔融勸諫阻攔，被曹操滿門抄斬。

這時候，劉表病死了，劉表的老婆蔡氏得了政權，看打不過曹操，只得準備投降，但蔡氏和兒子劉琮都怕死，不敢去曹營，就派蔡瑁、張允小馬過河先探探水。那曹操何等的IQ，二話不說就封了兩人的官，並讓兩人轉告蔡氏和劉琮，有更高的官等著兩人去當，快來吧。

蔡氏和劉琮聽了就屁顛屁顛地去了，結果被曹操喀嚓了。

此時，曹操得了大半個中國，帶來的五十萬兵，加上原劉表的兵馬，大約八十三萬之多，劉備見情勢不妙逃往江夏，江東的孫權也岌岌可危，不得已，兩人只好聯合起來抵抗曹操。

第第一仗PK於三江口，因爲曹操的兵大部分都是北方人，不善於水戰，結果曹軍大敗。曹操總結經驗和教訓，日夜操練水軍。

話說孫權陣營的都督周瑜藝高人膽大，這天親自駕船去刺探曹操水軍操練情況，不看不知道，一看嚇一跳，發現曹操的水軍現在操練得井井有條，嚇出了一臉的冷汗，問手下：「誰這麼大能耐？」

手下有知道的說：「原劉表的人蔡瑁、張允。」

周瑜心想：不行，我得趕快不惜一切代價幹掉這二人。

話說曹操吃了飯沒事幹正在瞎轉悠，有士兵進來報告：「周瑜親自來刺探咱們水軍，我們怎麼辦？這《軍人手冊》裡也沒有這一條。」

曹操聽了大吃一驚，連忙吩咐說：「趕快抓回來！」

那士兵出去一會兒，又回來報告：「那周瑜早跑沒影了，還去抓嗎？」

曹操大怒：「那還抓個狗屁？飯桶！廢物！蛋白質！」

第 41 回

烏龍大間諜

蔣幹這哥們有偷看別人信件的不良癖好，連忙翻了翻，居然有一封是蔡瑁和張允寫給周瑜的。蔣幹回頭看了看周瑜睡得正香，就斗膽取出信囊看，這一看不得了……

軍情洩密，曹操連忙召開智囊團擴大會議商量對策，蔣幹自告奮勇站起來說：「周瑜是我鐵哥們，我去說服他投降不就得了？」

曹操眼前一亮：「他聽你的嗎？」

蔣幹把胸脯拍的山響，「你就放一百個心吧，四歲的時候我已經是我們一夥的領導了，再說了，我還得過大學辯論賽季軍，我對我的說服能力充滿自信。」

周瑜回到家正爲除掉蔡瑁、張允卻沒有適當人選，急得焦頭爛額，突然有士兵稟報：「蔣幹到！」

周瑜聽了一拍大腿：「有了！」立即笑眯眯出門迎接。只見士兵一邊奏樂一邊一齊喊：「歡迎！歡迎！熱烈歡迎！」

蔣幹則揮手致意：「同志們辛苦了！」

「幹，什麼風把你吹來了？」周瑜熱情招呼。

「你這是在叫我，還是在罵我啊？叫我蔣哥或小蔣都行，就是別單叫我名字。」

周瑜笑著說：「我們辛苦著爲人民服務，你卻辛苦著爲曹操當說客。」

蔣幹大吃一驚：「我真是想死你了！我每天都先想你再想我老婆，你如果是以小人之心度我君子之腹的話，那我還是三十六計走爲上策。」說完扭頭要走。

幾年沒見，這蔣幹說話還是這麼噁心！周瑜聽了，雞皮疙瘩掉滿地，但還是裝出熱情模樣，連忙拉著蔣幹的手熱情地說：「不是說客就好！我也想你呀！我想你都想得記不起來你長得啥模樣了，只記得你那時候才這長高。」

周瑜說著把手比到腰部。蔣幹連忙糾正：「你得了吧，那時候，你還沒有這麼高呢，要不，我怎麼是咱們的領導，你怎麼只是小嘍囉？」說完又摟著周瑜眼淚涮涮了一陣，Pose相當煽動人的鼻子。

周瑜吩咐手下：「蔣幹是我的發小，要舉辦一個大的Party，肉要多一點，酒要好一點。」手下正要下去，周瑜又吩咐：「通知所有的文官、武將都得到場，不得生病請假。」

手下要走，周瑜又吩咐道：「複印N張『莫談政治』的紙條貼在餐廳牆上。」

手下這回不走了，問：「還有沒有？」

周瑜：「有！就是辦得快一點，辦得好一點。」

話說酒逢知己千杯少，周瑜和蔣幹碰了一杯又一杯，蔣幹有心說正事，但看看牆上貼滿「莫談政治」的紙條，又嚥了回去，最後實在忍不住正要張嘴說，看到周瑜竟然幹脆睡著了，呼嚕打得山響。

手下七手八腳把周瑜抬到床上，周瑜都沒有醒。蔣幹翻來覆去睡不著，一是周瑜的呼嚕分貝太高，二是心中有事，就起來在周瑜的房裡瞎轉悠。這一轉悠，看到桌上有一疊信。蔣幹這哥們有偷看別人信件的不良癖好，連忙翻了翻，居然有一封是蔡瑁和張允寫給周瑜的。

蔣幹回頭看了看周瑜睡得正香，就斗膽取出信囊看，這一看不得了，蔡瑁和張允兩人居然說他們二人投降就是爲了找機會殺曹操的。

蔣幹來不及細看就把信藏到自己的內褲裡，又躺下裝睡。過了一會兒，有手下過來把周瑜推醒說：「蔡瑁和張允捎過來口信，說還沒瞧準下手……」

周瑜對那手下說：「噓！小聲點！」又輕推蔣幹：「小蔣！小蔣！」

蔣幹假裝睡得像頭豬。周瑜和手下躡手躡腳走到門外嘰嘰喳喳了好一陣，蔣幹豎起耳朵也沒能聽清楚。

周瑜說完又回來躺下呼呼睡了起來。蔣幹心想，等天明後周瑜如果發現桌子上的信少了一封，必然會懷疑自己，萬一被發現了……。蔣幹不敢往下想，乾脆三十六計走爲上策，我還是連夜落跑吧！

蔣幹氣喘吁吁跑回來，見曹操。

曹操問：「周瑜拿下了嗎？」

蔣幹說：「周瑜雖未拿下，但我得到一個更有價値的情報。」說著就把信從褲頭裡拿出來給曹操看，並把自己聽到的也說給曹操聽。

曹操大怒：「來人哪！把蔡瑁和張允的頭給喀嚓了。」

不一會，手下就提著兩個頭來見曹操，還自誇：「丞相！怎樣？我手快吧？」

曹操一拍腦門，猛然醒悟中了周瑜的計，怎一個後悔了得？

蔣幹問：「丞相！你拍什麼呢？」

曹操：「蚊子。」

蔣幹：「這大冬天的哪有蚊子？」

曹操：「蠅子。靠！再問連你也喀嚓了。」

蔣幹聽了嚇得直伸舌頭，用手摸了摸脖子，灰溜溜地出去。

第 42 回

諸葛亮草船借箭

諸葛亮指揮著船隊靠近曹操的水寨，一字排開，然後讓士兵擂鼓吶喊，魯肅大驚：「如果曹操派船出來揍我們怎麼辦？搞自殺也不用這麼大費周章！」

話說周瑜聽說曹操殺了蔡瑁和張允之後，心中很爽，自我感覺良好，便讓魯肅去探探諸葛亮是否看得出來。

誰知道，魯肅剛剛進門，諸葛亮就祝賀：「恭喜你家周瑜殺了蔡瑁和張允。」魯肅把這情景描述給周瑜聽，周瑜大驚：「這諸葛亮的ＩＱ也太高了吧？」就千方百計要給諸葛亮難堪。

第二天，周瑜見了諸葛亮就說：「咱們雖說是聯合抗曹，可事實上，你家劉備根本未動一兵一卒，你諸葛亮還在我東吳吃閒飯，什麼事都不幹。這樣吧，你閒著也是閒著，明天起你督促我的士兵們十天之內造十萬枝箭。」實際上，周瑜早吩咐士兵們只許慢不許快，要是快了就砍腦袋。

魯肅心想：你周瑜這不是強人所難嗎？十天哪能造出來十萬枝箭？就算三十天也夠嗆的。

但諸葛亮聽了卻說：「打仗造箭，哪能拖拖拉拉的呢？不用十天，要造十萬枝箭，三天就足夠了。」

第一天魯肅去看，諸葛亮打了一天的網遊；第二天魯肅去看，諸葛亮在線上聊了一整天。第三天魯肅去看，諸葛亮睡了一天的大覺，天已經黑了，魯肅連忙推醒諸葛亮：「天一明就第三天了，你造的箭呢？」

諸葛亮一拍腦門，一個鯉魚打挺坐了起來，「哎喲！我怎麼給忘了呢？魯哥！你趕快借我二十艘船，船和船用繩子連起來，船上紮上草人，用布圍起來，每船再配三十個人，N個大鼓。」

魯肅不解：「要這有什麼用？」

諸葛亮：「造箭呀！你就別多問了，趕快去辦吧。」

一直整到夜裡兩三點，魯肅才打著哈欠前來：「我把船給你整完了，我去睡覺了，睏死了。」

諸葛亮拉著魯肅的衣服：「別介呀！你不想看看我是怎麼造箭的嗎？」

魯肅一聽來了興趣：「那OK吧，捨命陪君子。」

話說這天好大霧，伸手不……噢！還是能看見五指的，但離個一二十米就什麼都看不清，反正就是起了很大很大的霧。諸葛亮指揮著船隊靠近曹操的水寨，頭朝西尾朝東一字排開，然後讓士兵擂鼓吶喊，魯肅大驚：「如果曹操派船出來揍我們怎麼辦？搞自殺也不用這麼大費周章！」

諸葛亮：「霧這麼大，他不敢，咱們只管吃小菜喝小酒。」

魯肅心裡忐忑不安，哪裡吃得下喝得下？

過了好一陣子，魯肅果然聽見除了箭如雨下外，並無其他意外事情發生，才動起了筷子和杯子。

魯肅信口問：「曹操有百萬人，萬一其中有個二百五駕戰船來怎麼辦？」

諸葛亮心裡咯噔一下，剛挾的一粒花生掉在桌子上。

魯肅並未在意，只顧自吃自的，一會又問：「咱這船上盡是草和布，曹操如果用火箭射我們，該怎麼辦？」

靠！怎麼沒想到這層？諸葛亮放下了筷子。魯肅還未在意，一會再問：「曹操如果用大炮轟怎麼辦？」

諸葛亮兩腿發顫，急出了一頭汗，「我出去看看啊！」

諸葛亮趴著船艙的細縫數數，一、二、三……二十，一艘不少，再仔細看每艘船，並未發現擔心的情形，這才稍微放下心。

正在這時，有士兵過來報告：「咱們好幾條船都快沉了。」

諸葛亮大驚：「是被戰船打的，還是被火燒的，還是大炮轟的？」

士兵：「都不是，是面對曹寨的一面箭太多了，壓沉的。」

諸葛亮聽了轉憂為喜，命人停了敲鼓歇了吶喊，把船隊調了個頭，頭朝東尾朝西，然後再擂鼓吶喊。

原本曹軍聽到沒了動靜，以為敵人要走，剛想回去睡覺，船上又擂又喊起來，還讓不讓人活啊！曹軍火大了，立馬一陣暴射。

諸葛亮估計草人上的箭差不多夠數了，再看天漸漸明了起來，霧也漸漸散了，撿起桌子上掉的那粒花生放進嘴裡猛嚼了幾下，又端走杯子裡的酒一飲而盡，然後說：「撤！」

再看魯肅，早趴在桌子上睡著了。

第43回

赤壁玩火

跑到天快明，曹操回頭看看火光離自己越來越遠了，老毛病犯了，又開始吹了，話音未落，兩邊鼓聲震天，火光沖天，嚇得曹操「撲通」一聲從馬上掉了下來。

話說曹操這晚看月亮又大又圓，就邀將士們在長江北賞月，給他們講吳剛伐樹和嫦娥奔月的故事，還給他們講阿波羅號登陸月球的故事，最後總結爲：中國人比美國人更先登月。

將士開始爭論起來，有人說：「吳剛和嫦娥不算，那只是傳說。」也有人說：「據說阿波羅登月也有很多疑點。」

正當眾人爭得熱火朝天，有一個士兵過來報告：「江南好像漂過來一群船。」曹操聽了呵呵一笑：「沒事，那是黃蓋帶兵投降來了。」手下用探照燈一照，果然見「先鋒黃蓋」四個字，眾將士們都拍馬屁說：「丞相真是料事如神！」

曹操聽了很爽。程昱拿起望遠鏡，就著探照燈的光亮看了很久，說道：「不好！此船有詐！」

曹操聽了一驚，接過望遠鏡看，「我怎麼看不出來？哪有詐？」

程昱答道：「如果船裡裝的是士兵的話，應該吃水很深，你看它吃水很淺，裝的必定是易燃物。」

曹操聽了驚出一頭腳汗，問：「誰能下水擋住這些船？」下面鴉雀無聲，曹操走到文聘跟前說：「聽說你水性不錯，你下去吧！」

文聘嚇得兩腿哆嗦：「這大冬天，水很冷，要凍死人的。」

曹操眼看江東的船越來越近，來不及講大道理了，就一腳把文聘踹入水中。

文聘在水中一邊用狗爬式游著，一邊想：反正是一死，那就去擋船吧，這樣死得壯烈一點，就向來船的方向游去。

曹操眼看一個文聘不夠，就一腳一個往下踹，也有自覺一點的自己往跳下水。來不及了，黃蓋率領的二十艘火船已經引燃，向曹操水寨撲過來，只N分鐘，整個水寨就火光沖天，一下子把曹操所賞的月光比暗了下來。

有士兵說：「趕快撥九一一。」

有士兵說：「你說的那是在美國，咱們這兒是一一九。」

有士兵說：「估計打了也沒用，趕快逃命去吧。」

霎時，水寨裡的人亂成了一鍋粥。曹操也被火燒連環船的洶洶氣勢嚇懵了，看士兵們全跑了，自己也挽起褲腿要跑。正在這時，黃蓋提著大刀奔了過來：「曹操！你往哪裡跑！」

曹操見了，兩眼一捂：「嗚嗚嗚……其實我不想死，其實我很想留。」

正在這緊要關頭，張遼一箭正中黃蓋，連忙用手去拉曹操。曹操哆嗦著移開一隻手，一看是張遼，遂放下心：「別急，讓我一泡尿撒完啊！」

這時候，周瑜領著大部隊也殺到了，曹操的兵大部分都跑了，張遼看到處都是火，忙問：「老大！往哪跑？」

曹操腦子裡迅速轉了個圈，「烏林！那是咱們藏糧草的地方。這地方很機密，關係一般的，我都沒有告訴他。」

話音未落，腰裡的手機鈴聲大作，曹操接了。只聽那頭上氣不接下氣地說：「丞相！丞相！我是烏林！烏林已被敵軍焚燒殆盡！請指示！」

曹操聽了有氣無力地說：「烏林！烏林！我是丞相！丞相明白！撤！Over！」

張遼聽了問：「還往烏林那邊跑嗎？」

曹操想了想說：「烏林燒也燒完了，嗯，還是那個地方開闊一點，不容易有埋伏，走！」曹操回頭看了一眼，自己的八十三萬大軍只剩下身後這一百多人了，嘆息歸嘆息，逃命還是很逃命。

跑到半道，呂蒙領著兵追了上來，曹操讓張遼斷後，自己騎著馬向前跑。跑著跑著，凌統領兵又截住了去路，曹操又要捂眼，猛然聽到一個聲音：「老大別怕，我徐晃來救你來了。」

於是徐晃部和凌統部乒乒乓乓打了起來，完事後，眾人又向北跑去。跑著跑著，又看到前面冒出三千人馬，曹操不再廢話，當即暈倒，眾人又是噴水，又是掐人中，曹操方才醒了過來。

回過神後，曹操問：「你是閻王爺嗎？」

馬延：「我不姓閻，我是馬延，帶了三千人馬特地救你來了。」

曹操一聽，一個鯉魚打挺站了起來：「靠！早說嘛，嚇死我小心肝了。」

曹操有了三千人馬壯膽，心跳稍平穩了些。繼續前走了不到十里，又被甘寧攔住了去路，又一陣乒乒乓乓打了之後再向前逃。

跑到天快明，曹操回頭看看火光離自己越來越遠了，就問：「這是哪裡？」

手下人說：「烏林西，宜都北。」

曹操看看附近樹木叢雜，山川險峻，便大笑起來，手下問：「Why？」

曹操老毛病犯了，又開始吹了：「我笑周瑜、諸葛亮ＩＱ還不算高，如果是我的話，在這裡設下埋伏……」話音未落，兩邊鼓聲震天，火光沖天，嚇得曹操「撲通」一聲從馬上掉了下來。

一聲聲音喊道：「你們跑得忒慢，我趙雲在這兒都等不及了，兄弟們！上！」

曹操又指揮讓眾人去和趙雲打，自己跨上馬向前逃命。眾人費了吃奶的勁，終於把趙雲打跑，追上了曹操。

一會兒又下起了傾盆大雨，衣服也全淋濕了，眾人又冷又餓實在走不動了，就到附近的村裡搶了些糧食。正要埋鍋做飯，聽到後面一群部隊趕來，眾人掀了鍋就跑。跑了幾步，回頭一看，原來是李典、許褚護著智囊團來了，一場虛驚。

眾人又前行到葫蘆口，人走不動了，馬也走不動了，曹操只得讓人再次埋鍋做飯。眼看著飯快熟了，曹操又大笑起來。

有士兵說：「老大，拜託你別再笑了，剛才你一笑，蹦出來個趙雲，你再笑，不知道又蹦出來誰呢。」

曹操不管，自顧自地說：「我笑周瑜、諸葛亮IQ還不算高，如果在這裡設下埋伏，那咱們不死也得重傷。」

話音剛落，前後立刻各竄出來一群人馬，原來是張飛領來的。真是烏鴉嘴！曹操忙令各將士應戰，自己先行逃脫。過了張飛這關，曹操再看將士們，不傷不殘的已經是寥寥無幾了。

再向前走是一個岔路口，大路平坦但遠，小路華容道近但難走，眾人各持主張爭論不休，於是讓英明的曹操來定奪，曹操說：「你們各推出一個代表來壓指頭，誰勝聽誰的。」

結果，主張走華容道的壓勝了走大道的。

話說那華容道本來就是羊腸小道，加上早晨下了大雨路滑身冷，加上經過各關拼殺將士們受傷的很多，加上一直未能吃上飯……通過華容道的難度，可想而知。

過了關後，路稍微好走了一點，曹操回頭看，只剩下三百多人馬了，然後又大笑起來。有將士聽了，連忙用手捂曹操的嘴，但來不及，曹操的笑聲已經發了出去，眾將士暗叫不好，罵道：「你笑什麼笑！沒看過《三國演義》嗎？這地方可是會冒出關羽的！」

曹操答道：「沒這回事，那是羅貫中瞎說的，回頭我叫他改改……」

話還沒說完，關羽就蹦了出來拆台，喝道：「曹操！你哪裡逃？」

以前曹操對關羽有恩，便鎮定自若地說：「是小關呀！你也到這旅遊？」

關羽狐疑：「你不是逃到這的？」

曹操充大款：「我這邊駐有八十三萬大軍，我逃什麼逃？你聽誰胡說？」

關羽：「我們軍師諸葛亮胡……說的。」

曹操：「唉呀，他一定接到錯誤情報了，要不我打個電話跟他更正一下。」

關羽：「我不管，反正他說不能放你走。」

曹操：「你怎麼這樣死心眼呢？如果我是逃命的話，你可以不讓我走，但是，我是來旅遊的，你就沒有理由攔我了。再說了，做人要講道理，難道此樹是你栽？此路是你開？」

關羽想想有道理，只好說：「那你走吧！」

眾將士心中暗喜，論胡扯的功夫，曹操絕對可以登上金氏世界紀錄。

走到天黑，曹操再看，自己的八十三萬大軍只剩下二十七個人了，不由得傷心嗚嗚嗚大哭起來。眾將士又驚，不過想想哭總比笑好，冷不防，前面又衝出一隊人馬，將士們正又要跑，一看原來是曹仁的人，眾人這才把撒開的腳丫子收了回來，都埋怨曹操為什麼不早哭呢？

第 44 回

周瑜飆演技

周瑜憤怒難當，出來和曹仁對罵，罵了一陣後又突然哈哈哈哈大笑不止，然後，口吐鮮血，跌落馬下。眾人紛紛對周瑜的演技大加讚賞，說他和梁朝偉有拼。

曹操大敗，孫權、劉備大勝後，周瑜和劉備互相通電祝賀。周瑜問：「下一步準備發展什麼項目？」

劉備：「還能有什麼？南郡唄！」

周瑜一聽急了：「靠！我費心、費錢、費兵打敗了曹操，你倒要和我爭南郡？做人要厚道啊！南郡是我的！」

劉備：「你說的有些道理，我也是這麼想，只是怕你費再多的心、錢、兵也打不下南郡，我爲了減少你的損失，才考慮打南郡的。」

周瑜：「靠！曹操百萬大軍都被我打趴了，我還打不過一個曹仁？」

劉備：「如果你打不過呢？」

周瑜：「我要是打不過，任由你打。」

劉備：「一言爲定，電話費挺貴的，掛了！」

周瑜親率大軍往南郡進發，很快攻下了南郡邊上的彝陵。把守南郡的曹仁一看周瑜人多打不過，連忙給曹操打電話：「丞相！丞相！我是曹仁！周瑜的大軍已經兵臨城下，請指示！」

曹操如此這般說了一通，末了問：「你明白嗎？」

曹仁：「我很明白！」

曹操：「Over！」

曹仁掛了電話就和曹洪一起去迎敵，叮叮噹噹打了一會兒，打不過就往城裡跑。周瑜哪裡肯放過，窮追不捨，趁城門還未關上就追了進去，突然，城上箭如雨下，周瑜中箭跌落馬下，手下連忙把他救了出來。

軍醫看了看說：「哎呀！這枝箭是毒箭，這就不好辦了。」

周瑜頓時天旋地轉，嗚嗚嗚大哭起來，我家小喬還盼著我回去呢！《三國演義》沒說我會死在這裡啊！哭了一陣問軍醫：「你估計我還有幾個小時的壽命？」

軍醫掰著指頭算了一陣，說道：「按小時算的話太多，指頭數有限，數不過來，能不能按天算？」

周瑜一聽稍舒了口氣：「還有幾天？」

軍醫再掰著指頭算了一陣又問：「還是算不過來，能不能按月算？」

周瑜一聽長舒了口氣：「還有幾月？」

軍醫又掰了一陣手指頭問：「我能不能找個計算機？」

周瑜聽了轉憂爲喜：「難道說，我還能再蹦個幾年？」

軍醫：「按年算的話可能好算一點，不出意外的話，大概幾十年吧！具體多少年，那就不屬於我們管轄範圍了，你得去問算卦的。」

周瑜一聽完全放下了心，問道：「這麼說，我沒有性命危險囉？那你爲什麼嚇我？把我的心給嚇得撲通撲通直跳？」

軍醫：「有心跳才沒有危險，沒有心跳才有性命危險呢。我也沒想嚇你，只是想跟你說，你中的箭有毒，需要靜養，千萬不能發火生氣。」

周瑜聽後咧開大嘴哈哈哈哈大笑起來，並問：「這樣是不是好得更快？」

軍醫：「這樣也不行，只要心情舒暢，微笑即可。」

話說另一邊，早有情報人員把周瑜的傷情報告曹仁，曹仁聽後就天天在周瑜軍寨前大罵，專罵一些不三不四的。

這天，周瑜憤怒難當，也出來和曹仁對罵，罵了一陣後又突然哈哈哈哈大笑不止，然後，口吐鮮血，跌落馬下，眾人連忙抬回去急救。

不一會，曹仁發現周瑜寨裡進進出出的人都穿上了白衣，又聽到高音喇叭裡通知晚上八點開追悼會，心想：真是天賜良機！此時不劫寨何時劫寨？

這夜，天是如此的黑，周營是如此的悲傷，曹仁是如此的高興。曹仁摸黑來到周瑜營中，四下裡看不到一個人，正暗叫不好，霎時箭聲、炮聲、吶喊聲，聲聲震得人膽顫心驚。

曹軍大敗，半道上，又接連遭到凌統、甘寧兩部人馬截殺。曹仁心想：南郡留下的人少，肯定早被周瑜的人攻占了，回去等於送死，那就跑吧。周瑜乘勝追擊，一直追到幾里外。

回來的路上，眾人紛紛對周瑜的演技大加讚賞，說他和梁朝偉有拼，今年的最佳男演員非周瑜莫屬，周瑜聽了自是洋洋得意。

誰知道鷸蚌相爭，劉備得利，等周瑜回師南郡，南郡已經被劉備派趙雲占了。周瑜不想傷了和氣，就計劃攻曹操的荊州和襄陽，誰知道情報人員一打探，兩城的曹軍早被諸葛亮發了假文件騙走了，現在分別被張飛和關羽占著呢。

周瑜聽了口吐鮮血暈倒在地上，眾將士大笑，都誇周瑜越演越逼真。過了好一陣子周瑜再也沒有起來，眾人大驚，才明白這次不是演戲。至於劉備，則一鼓作氣又攻下了零陵、桂陽、武陵、長沙四城。

孫權看周瑜鬥不過劉備、諸葛亮這幫人，就讓周瑜領兵回去了。

正在這時，聽說劉備的老婆甘氏死了，孫權便心生一計，給劉備打電話：「小劉啊！聽說你老婆死了？死了也好，人說舊的不去新的不來，我家小妹天生麗質，今年正好十八歲，待嫁在家。」

以劉備的ＩＱ，當然知道孫權這小子是要用美人計咯嚓自己，一口回絕：「不要，不要，不要！」

孫權問：「你是嫌我家小妹不夠年輕嗎？」

劉備：「太年輕了，我都快五十的人了，我是怕人家說我老牛吃嫩草。」

孫權：「你是嫌我家小妹不夠漂亮嗎？」

劉備：「我早聽說過很漂亮，我是怕人家說一朵鮮花插在什麼什麼上。」

孫權聽了呵呵一笑：「那你爲什麼還不願意？」

劉備：「不是我不願意，我是想，你家小妹肯定不願意。」

孫權：「錯！我家小妹從小就是你的粉絲，她說你既帥又有本事，是她心目中永恆的偶像，她說她這一輩子咬定你了，非你不娶，她還說……」

劉備：「等等！等等！她是女孩子，應該說『非你不嫁』才對吧？」

孫權：「我家小妹對你什麼都滿意，只是你天天領兵打仗，居無定所，又吃苦又受累的，她想招你入贅。也就是讓你移民東吳，吃穿不愁，玩樂無憂，過著天堂般的日子，豈不美哉？」

這孫權也是個扯蛋專家，這話直說得劉備心潮澎湃，躍躍欲試。

劉備放了電話猶豫不決，諸葛亮問：「什麼事呀？看把你愁的！」

劉備就把剛才孫權的話一一說給諸葛亮聽。諸葛亮聽完說：「這不是天上掉下來個孫妹妹？好事嘛！」

劉備苦笑一下：「你別挖苦人了好不好？他這不是明擺著要使美人計咯嚓我？」

諸葛亮用扇子一拍腦門：「噢！我把這檔子事給忘了，讓我想想。」開始繞著劉備轉圈。

劉備：「阿亮，你別老轉悠行不行？轉得我眼暈。」

諸葛亮：「不轉悠怎麼能想出來妙計呢？這一轉不就有了？讓趙雲帶五百士兵跟著你去東吳。」

劉備：「靠！我以爲什麼妙計呢，五百人入到孫權的虎穴，還不夠塡牙縫。」

諸葛亮：「又想得美人又怕死，那會行？不入虎穴焉得虎妹？」

劉備把心一橫：「好吧，這輩子就是栽在孫小妹的石榴裙下，死也瞑目了。」

一會兒又猶豫起來：「哎！那我辛苦了大半輩子的江山就這麼放棄了？」

諸葛亮笑笑說：「我準備三個錦囊妙計讓趙雲帶上，遇到困難就依次打開看，保你性命、江山、美人一個不少。」

劉備聽了高興得手舞足蹈，抱著諸葛亮結結實實啃了個Kiss。諸葛亮推開劉備：「你刷牙了沒有？看來你真該找個媳婦了，老婆才死幾天就想搞同性戀！」

第45回

孫權賠了夫人又折兵

第二天天濛濛亮，劉備就和孫小妹、趙雲及原來的那五百士兵逃了出去，孫權暗叫不妙，急忙派徐盛、丁奉、陳武、潘璋領了幾千士兵去追殺。

話說劉備領著趙雲，趙雲領著五百士兵，出了徐州火車站就不知道該怎麼辦了，趙雲於是解開了一號錦囊。眾人圍上來一看，都說：「果然妙計！」

讀完後，劉備一一做了分工，五百士兵到大街小巷貼小廣告，趙雲去了報社，劉備招手叫了輛出租車，司機問：「東西南北？」

劉備說：「管他東西南北，反正就是電視台。」

第二天，電視台黃金時間隆重推出了特別訪談「孫權要招劉備當妹夫」，報紙頭條赫然是「劉備與孫小妹驚爆不倫戀情」，大街小巷則貼滿了「一個糟老頭將要嫁給妙齡美少女」的小廣告。

這天，孫權哥哥孫策的岳父，也就是大喬、小喬兩美眉的老爸老喬正爲難言之隱愁眉不展地走在大街上，突然抱著一根電線桿激動萬分，老淚縱橫地大喊：「我的病有救了！」

激動之餘，老喬對旁邊的那張「一個糟老頭將要嫁給妙齡美少女」大感興趣，細看內容，大致意思爲年過半百的劉備要倒插門嫁給孫權的妙齡小妹。老喬就各揭了一張放入口袋，然後殺奔親家母吳媽家而去。

老喬一進門就向吳媽道喜，吳媽一驚問：「我有什麼喜？」

老喬嘻嘻笑：「別裝蒜了，妳家不是要招劉備當女婿？」

吳媽連忙掩蓋：「謠言！現在這些電視、報紙，爲了掙錢真是不擇手段。」

老喬：「電視、報紙上也有？」

吳媽一聽，原來老喬不是從電視、報紙上知道的，就問：「你怎麼知道的？」

老喬從外衣口袋裡掏出小廣告，遞給吳媽看。吳媽翻出老花鏡看著念：「專治淋病、梅毒、愛滋病……」

老喬聽了好不尷尬，連忙翻出另一張說：「不是那張，是這張。」

吳媽看完後號啕大哭起來，哭夠一個階段就給兒子孫權打電話。剛開始，孫權死不承認，最後坦白，這只是自己要咯嚓劉備使的美人計。

吳媽聽了大罵孫權，女兒還沒有嫁人就要亡夫。又罵孫權，現在這事整得路人皆知，如果把劉備招來，又把劉備咯嚓了，還有什麼誠信？

孫權聽了說：「我錯了，那妳說現在怎麼亡羊補牢？」

吳媽想了想說：「這樣吧，既然劉備來了，我就帶你妹子在甘露寺和他約個會，如果我倆都滿意了，那就這麼著了，如果我倆有一個投反對票，那你就愛怎麼辦就怎麼辦吧！」

孫權聽了心想：就劉備那近半百的年齡，就劉備那豬八戒似的大耳朵，就劉備那……不多舉了，這兩條就足以要劉備的小命了。孫權於是給劉備聯繫約會時間和地點，然後又吩咐刀斧手在甘露寺埋伏好。

吳媽和孫小妹正在方丈室裡喝茶，孫權示意劉備來了，孫小妹頓時坐立不安。劉備進得方丈室看見孫小妹，心中暗想果然是傾國傾城，不虛此行。看得眼都直了，直到口水滴到手上，方才如夢初醒，看到茶桌旁有一位老婦人，猜準是孫小妹她媽，倒頭便拜。

那孫小妹看到了劉備的模樣，氣呼呼地站起來就要走，孫權正要示意刀斧手下手，正在這時，吳媽拉住孫小妹的手，附在耳邊低語：「聽說耳垂長的人有福氣，我看這人兩耳垂肩，妳跟了他必定大福大貴。」

孫小妹聽了頓時眉笑顏開，便問：「三金帶了嗎？」

劉備一聽大喜過望。正在這時，趙雲從外面走進來對劉備耳語：「外面到處都是便衣，我看咱們凶多吉少。」

劉備聽了二話不說，立即跪在吳媽面前，「媽——」的一聲嗚嗚嗚大哭。

吳媽一楞：「我家女兒已經看上你了，你哭什麼呀？」

劉備一隻手抹著鼻涕，一隻手指著孫權說：「就是他！他在外面佈置了忒多殺手要咯嚓我。」

吳媽聽了哈哈一笑：「我兒放心，這是保護咱們的，而不是殺你的。」

劉備聽了，這才寬了些心。

定親儀式結束，又過了幾天，孫家大擺筵席讓孫小妹和劉備成親。

劉備送走最後一個客人正要寬衣解帶，見洞房內刀槍林立，侍女們個個提刀拿劍，大叫不好，當場暈死過去。

孫小妹狠掐狠掐，直把劉備的人中掐出血來，劉備這才喘出一口氣來：「我這是在閻王殿嗎？」

孫小妹嗔怒：「閻王殿有這麼年輕漂亮的美眉嗎？你一輩子帶兵打仗，怎就這麼膽小呢？」

劉備問：「你們東吳的洞房都是這個風俗嗎？」

孫小妹：「那倒不是，我想著哥哥你是打仗之人，小妹我也從小就喜歡舞刀弄劍，就設計出了這麼個有特色的洞房討哥哥喜歡，如果哥哥不喜歡就撤了。」

於是，孫小妹就讓帶刀劍的侍女們退了出去，劉備這才放下心來和孫小妹寬衣解帶。至於這夜兩人如何嘿咻，考慮到有十八歲以下的讀者，咱們就不細說了。

孫權看弄假成真、弄巧成拙、木已成舟，也別無他法，正自鬱悶，周瑜給他打電話，讓他如此如此、這般這般，孫權聽了連連點頭稱是。

第二天，孫權派人在劉備所住的院落裡種了很多名貴花草，又送了許多好聽、好看、好玩的東東，還送了十個既會各種樂器又會各種舞蹈的美眉。劉備哪裡抵擋得了？一住就到了年三十，把江山的事全忘了。

趙雲每天也無所事事，只是領著弟兄們到城外溜溜馬，射射箭。劉備從來不召見趙雲，趙雲有時候想找劉備玩，但劉備只想和那十個美眉玩、和孫小妹玩，不想和趙雲玩，趙雲氣得乾著急，卻沒有辦法。

這天，趙雲猛然想起了諸葛亮的三個錦囊妙計，就解開編號二的錦囊，看後大喜，跑進劉備住房裡喊：「劉哥！報告你一個好消息，諸葛亮派人捎過來口信說，曹操領了五十萬精兵去打荊州了。」

劉備一楞：「諸葛亮是誰？曹操是誰？荊州又是誰？怎麼聽著有點耳熟？」

趙雲：「靠！諸葛亮是你的軍師，曹操是你的敵人，荊州是你的江山。」

劉備問：「誰規定的？」

趙雲：「沒有誰規定，但就是有這麼一碼事。」

劉備如夢乍醒：「噢——你這樣一說我算徹底明白了，不過，我還有一點不明白，曹操要打荊州，你高興個啥？你是曹操那撥的？」

趙雲：「對不起啊！剛才我應該說是壞消息，還有，剛才我的表情也不應該高興，應該哭喪著臉才對。」

劉備問：「曹操要打荊州，那你說我應該怎麼辦？」

趙雲：「應該回去打曹操呀！」

劉備想了想說：「你說了也不算，你等著啊！我得問問我家孫小妹。」

趙雲無可奈何只得坐那等，劉備回屋問孫小妹：「剛才，有一個很面熟的人說曹操要……」

孫小妹：「你不用說了，我全都聽見了，哥哥說吧！現在的情況就是我和哥哥的江山同時掉進水裡，哥哥要救哪一個？」

劉備想了想問：「這是一個腦筋急轉彎嗎？我的答案是：如果在美國，打九一一，在我們這裡，就打一一〇或一一九。」

孫小妹氣得哭笑不得：「這樣吧！我給你想給萬全之策，讓你既不失江山，也不落美人。」

劉備拍著兩隻手：「這個好！這個好！」

除夕夜，孫家舉行了隆重的轟趴，酒過三巡，孫小妹領著劉備把吳媽叫到一邊說：「老媽！明天就是大年初一了，我哥哥想老媽了，明天我和哥哥一塊兒到江邊向哥哥故鄉那邊看看。」

劉備一聽也配合著嗚嗚嗚哭了：「我以前過年都要吃我老媽包的餃子。」

吳媽一聽很高興，「真是個孝子，你們就早點歇息吧，明天早去早回。」

第二天天濛濛亮，劉備就和孫小妹、趙雲及原來的那五百士兵逃了出去。路上，孫小妹問：「哥哥以前的事都不記得了嗎？難道哥哥是得了健忘症嗎？」

劉備一陣壞笑：「我只是不捨得失去妳而已。」

孫小妹也開心地笑。

前一晚，孫權當然喝得不少，這天睡至日頭曬屁股了才起來給吳媽請安。孫權問：「老媽！劉備和妹妹給妳請安了沒有？」

吳媽：「劉備想他媽，今天一早到江邊去了。」

孫權大吃一驚，到房裡找，果然劉備不在，小妹不在，趙雲及五百士兵也不在。孫權暗叫不妙，急忙派徐盛、丁奉、陳武、潘璋領了幾千士兵去追殺。

劉備眼看追兵越來越近，連忙問趙雲：「這可怎麼辦？這可怎麼辦？」

趙雲：「我也沒辦法。」突然眼前一亮：「對了，咱不是還有一個諸葛亮的錦囊妙計？」就解開了編號三的錦囊讓劉備看。

劉備看後就把孫權如何使美人計說給孫小妹聽，孫小妹聽後大嘆一口氣說：「哥哥你前邊先跑，我和趙雲斷後。」

劉備聽了感動得眼淚涮涮的。孫小妹等徐盛等人追得近了，想證實一下，便問：「小徐！你們來幹啥？」

徐盛等人氣勢洶洶地說：「我們是奉了孫權的命令來追殺你們的。」

孫小妹一聽徹底失望了，喝問：「那你們爲什麼還不動手？」

徐盛心裡暗想，孫小妹和孫權畢竟是親兄妹，現在劉備又不在裡面，如果我沒殺成劉備，倒把他妹子殺了，他孫權早晚不活剝了我的皮？想完便灰溜溜撤了。

第46回

諸葛亮氣死周瑜

周瑜仰天大哭：「蒼天啊！大地啊！你們為什麼不遵守計劃生育呢？既然生了周瑜，為什麼再超生一個諸葛亮？」然後，箭傷迸裂倒地身亡，享年三十六歲。

孫小妹和趙雲等人看追兵走遠了才回頭追上劉備。看到諸葛亮派了二十多條船停在江邊接應，所有人都上去了，只有劉備在岸上獨自落淚，想想以前的好日子從此將一去不復返了，便自嘆：「可惜呀！」

趙雲問：「可惜什麼呀？」

劉備回過神來苦笑一下：「可惜，孫權的兵沒追上！」劉備的心思只有諸葛亮聽得明白。

正在眾人以爲勝利大逃亡的時候，周瑜又親率大軍追來。誰知道，諸葛亮早有埋伏，殺得周瑜大敗，諸葛亮還讓士兵們一齊喊：「帥哥周瑜獻妙計，賠了夫人又折兵！」氣得周瑜已經快好的箭傷復發，大叫一聲暈倒在地。

周瑜受辱後天天想著報仇，百思不得其計，便打電話給劉備討還荊州。

劉備一聽，就嗚嗚嗚大哭起來，周瑜再問什麼話，劉備就一字不說，只是嗚嗚嗚哭個不停。

周瑜納悶，掛了電話打給諸葛亮：「你家劉備是失戀了？怎麼只是老哭呀？」

諸葛亮：「你是不是跟他討荊州了？」

周瑜：「是。」

諸葛亮：「好你個周公瑾！荊州還了，那我們住哪？」

周瑜想想也是，掛完電話後轉念一想：靠！什麼狗屁也是？你們把我氣得要死，我才不管呢！又打給劉備，「你們是不是除了荊州，沒其他地方住了？」

劉備：「對頭！」

周瑜：「天下是打出來的，哪裡借出來的？你們閒著沒事，不會自己打一個？」

劉備：「打誰的城池人家願意？你推薦一下哪個好打？」

周瑜想了想說：「我看劉璋ＩＱ不高，挺蛋白質的，你就打他的西川吧！回頭你給我傳一份合同，按個手印，這次可不能賴帳不還了啊！」

劉備：「ＯＫ吧！」

不一會兒，果然傳真傳來了帶手印的合同，周瑜看到裡面有「如果劉備打下了西川，三日之內歸還東吳荊州」的字樣，遂放下心。

周瑜等呀等，等了好幾個月也不見劉備有什麼動靜，便給劉備打電話催問，劉備：「咱們不是有合同？」

周瑜：「靠！要是你一輩子不打西川，就一輩子不還荊州了？」

誰知劉備聽了周瑜這話又嗚嗚嗚哭開了，周瑜：「別哭，先說理由。」

劉備：「那好吧！本來我準備去打西川，但一想到我和劉璋五百年前是一家，哪裡下得了手？」

周瑜聽了怒火中燒，「靠！你這不是要賴皮嗎？這樣吧！我把西川打下來送給你，你把荊州還給我們東吳！」

劉備：「OK！」

周瑜又說：「那我的部隊從荊州路過，我就不說了，你可得好好犒勞犒勞我們的士兵啊！」

劉備：「OK！一定！一定！」

放下電話，魯肅問：「西川那麼遠，地勢又是那麼險，你怎麼打？」

周瑜哈哈一笑：「這你就不知道了吧？你以爲我真要打西川？我只是藉口打西川路過荊州時，乘劉備犒勞部隊之機，喀嚓了劉備，占了荊州。」

魯肅連豎大拇指：「高！實在是高！」

周瑜自以爲劉備中計，便親率五萬大軍趕往荊州。半路上，劉備給周瑜打電話：

「快到了嗎？我正在大擺筵席等著犒勞你們呢！」

周瑜大喜過望：「看來荊州就要到手了！看來你劉備也死到臨頭了！」

誰知道周瑜率領大軍到了荊州之後，看到城門緊閉，不見一人，正要派人敲門，諸葛亮發來簡訊：你只不過是藉打西川爲名來殺劉備占荊州的，就你那點小聰明，我會不知道？

周瑜騎虎難下，回簡訊爲：以小人之心度君子之腹，我這就去打西川給你看！

諸葛亮估量周瑜不會真去打，又回覆：劉璋沒有你想的那麼麵，你如果把大軍引到西川久攻不下，曹操的鐵蹄早乘虛把東吳踏成麵粉了。

周瑜看後把手機往地上重重一摔，仰天大哭：「蒼天啊！大地啊！你們爲什麼不遵守計劃生育呢？既然生了周瑜，爲什麼再超生一個諸葛亮？」然後，箭傷迸裂倒地身亡，享年三十六歲。

第二天，各家報紙頭版頭條爲「周瑜氣死於諸葛亮」。

第 47 回

鳳雛先生當縣長

龐統上任後總覺得自己懷才不遇，鬱悶得要死，天天除了喝酒就是呼呼睡大覺。劉備聽了大怒，派張飛、孫乾前去視察，如情況屬實嚴懲不饒。

話說周瑜臨死前推薦魯肅接班，孫權看看左右再也沒有更好的人才，同意了。誰知道，魯肅本人卻不同意。魯肅心想：自己綜合素質遠不如周瑜，周瑜又遠不如曹操或諸葛亮，周瑜都被氣死了，自己……算了吧，自己還想再多活N年。

於是，魯肅推薦了龐統，孫權聽了就讓龐統來面試。

龐統和諸葛亮齊名，網名鳳雛先生，那可是論才能有才能，論長相……唉！公平一點只能說屬於青蛙，給孫權的第一印象可以說是很差。

孫權問：「你學的什麼專業啊？」

龐統：「我不分專業，什麼都學，幹啥啥通。」

孫權：「生孩子也會嗎？」

龐統臉紅：「那倒不會，不過，我可以讓別人生。」

孫權又問：「你覺得你的綜合素質和周瑜比起來如何？」

龐統：「周瑜和我差距可就大了，何止用十萬八千里來形容！」

孫權：「是嗎？那你的水平確實是高，不過我這廟太小，你還是另謀高就吧！」

龐統聽了只得嘆了一口氣，退了出去。

魯肅問：「爲什麼不用他呢？」

孫權：「靠！牛逼吹得也太不靠譜了。」

魯肅走出來安慰龐統：「不用傷心！是金子到哪都會發光，以你的才能到哪不能幹得有聲有色？」

龐統：「是啊！此處不留爺，自有留爺處！」

魯肅問：「你下一步準備到哪面試？」

龐統：「我要到曹操那幹一番大事業，讓他孫權瞧瞧！」

魯肅：「聽說曹操有大將、謀士一兩千人，你去那裡很難有出頭之日。不行的話，你就先到劉備那幹吧，有了好機會再說。」

龐統：「關鍵是劉備那規模小，還有，我的老同學諸葛亮在他那當的軍師，我去最多也就是副軍師，那多沒面子！」

魯肅：「貨比貨得扔，人比人得死，做人不要太爭強好勝，只要你自己覺得划算就行了。」

龐統聽了連連點頭。魯肅：「這樣吧！我和劉備也打過很多次交道，算得上是老熟人，你真想去的話，我給你寫個介紹信？」

龐統：「那就先謝謝你了！」

龐統告辭了魯肅就往荆州趕，見劉備前，龐統想先見見諸葛亮探探底，看到底劉備需要不需要人。

本來龐統想，諸葛亮可能會猜忌自己是個未來的競爭對手，會不歡迎自己，誰知道諸葛亮見了龐統又摟又Kiss，弄得龐統怪不好意思。Over，諸葛亮又給龐統整了點小酒小菜，臨走也給龐統寫了張介紹信。

第二天，龐統懷揣兩張介紹信去見劉備，臨見之前又突然想：靠！我如果讓劉備看到我有兩張介紹信，就好像我沒有真才實學，只能靠拉關係走後門似的。思前想後，決定還是不拿出來。

誰知道劉備也以貌取人，見龐統是個青蛙就不太想要，但又想多個人多一分人氣，就說：「我的規模小，需要的官也少，如果你不嫌棄的話，就到離這裡一百三十里的耒陽縣當縣令。」

龐統委屈得要哭，本來想拂袖而去，但又想到現在失業率就這麼高，當個縣令總比失業強，罷了，縣令就縣令吧！

龐統上任後總覺得自己懷才不遇，鬱悶得要死，根本不理縣裡的一切事務，近一百天來，天天除了喝酒就是呼呼睡大覺。早有手下看不慣，去劉備那兒打小報告，劉備聽了大怒，派張飛、孫乾前去視察，如情況屬實嚴懲不饒。

兩人到了耒陽縣後，縣裡的大小官員都來歡迎，唯有縣令的龐統不在，張飛問：「你們縣令呢？」

有人說：「正和周公喝酒呢！」

張飛大怒：「派人去把他抓來！」

過了好一會兒，龐統才打著酒嗝，被人扶著，睡眼惺忪地來見。

張飛怒說：「我大哥是讓你當縣令處理縣務的，不是讓你喝酒睡大覺的，看你天天喝酒把縣務全給耽誤了！」

龐統如夢初醒：「縣務？哪有什麼縣務？」龐統一拍腦門全醒了：「是嗎？那你們把這一百天來需要我批的文件全部拿上來！把需要我審的案子的原告被告統統叫過來！」

兩個小時後全部到齊，龐統開始一邊批文件，一邊對原告、被告說：「你們統統一齊說，我能聽得清。」

於是，一堂人嘰哩呱啦說開了，先說完的龐統先判完，後說完的龐統後判完，一直嘰嘰喳喳、嘮嘮叨叨、喋喋不休、沒完沒了。好不容易說完了，龐統也每人發一份判決書，「行了，先看看判決書，有什麼話再補充！」

眾人都非常滿意全退去了，直驚得張飛目瞪口呆。張飛拍著龐統的肩說：「看不出來，你這小子還真有兩下子，我回去就讓我大哥提拔你。」

過了沒幾天，龐統果然高升為副軍師，劉備左右兩手拍著諸葛亮和龐統兩人的肩說：「以前司馬徽給我說『諸葛亮和龐統得其一便可得天下』，我現在得了兩個，豈不要得宇宙？」

第 48 回

曹操惱羞成怒

曹操大怒：「靠！你是來求我打張魯呢，還是來揭我老底？滾！」張松懊惱不已，再去求，曹操不理，跪下來給曹操磕頭，曹操早沒影了。

劉備這話傳到了曹操的耳朵裡，曹操當然不服氣，本來想發兵攻打劉備，但又想：攘遠必先安近，就設計殺了西涼的馬騰。

馬騰的兒子馬超聽到惡耗後領兵要爲父報仇，但雞蛋哪裡碰得過石頭？幾萬西涼兵見馬超不得勢，紛紛南逃漢中投奔張魯。張魯得了勢力便蠢蠢欲動想打西川的劉璋，整個就是多米諾骨牌。

劉璋聽說後嚇得不得了，便和文武大臣們商議。

眾大臣們聽了鴉雀無聲，劉璋火大了：「平日裡領薪水一個比一個急，開Party一個比一個吃得多，人家說養兵千日用兵一時，你們關鍵時刻可別掉鍊子，倒是獻計獻策啊！」

話音落了一小會，張松進言：「我有一計！」

劉璋：「快說！快說！」

張松開講了：「很久很久以前，有隻狡猾的狐狸，所有動物們見了，都怕跑之不及，原來……」

眾人聽了「暈」聲一片，板磚一堆，劉璋連忙制止：「Stop！Stop！我在我娘肚子裡都胎教聽過N遍了，誰不知道是狐假虎威？現在都火燒眉毛了，你還是快說如何打張魯吧！」

張松：「好吧！那我接下來就分析一下政治形勢吧！目前的政治形勢分國內形勢和……」

眾人再暈，劉璋：「你能不能長話短說，一句話概括了？」

不是說要獻計獻策嗎？怎麼不讓人說話呢？張松鬱悶地嘆了口氣，然後說：「現在曹操是老大，咱們投靠曹操，有了曹操這老虎，張魯……」

劉璋：「I see！I see！下面的省省吧！快說怎麼整啊？」

張松：「實話實說？」

劉璋點頭。張松：「咱們送點禮物，去和曹操談談，讓他去打張魯。」

總算有點譜了，劉璋眼裡潮呼呼的，「這樣吧，如果你和曹操談判成功了，下半輩子就不用愁了！」

張松：「那如果不成功呢？」

劉璋來氣：「不成功的話，把你喀嚓了，你下半輩子也不用愁了！」

這話嚇得張松用手摸了摸脖子，還好，還在。張松：「那好吧，只要進貢的東西足夠多，我就是爲了脖子上這顆人頭，也得盡心盡力。」

張松領了進貢品，辭了劉璋，趕往曹操的許昌。

張松到了許昌，曹操問：「你是誰？」

張松心想，自己既沒有當大官，又沒有鬧緋聞什麼的，知名度不夠，那就直接說吧！「我是西川劉璋的人。」

曹操問左右：「西川我知道是個地名，劉璋是個什麼東東？」

左右會意，都搖頭說「不知道」。

張松明知道曹操是在藐視劉璋，但現在有求於人，也不敢發火，只得說：「劉璋不是個什麼東東，是個人，是西川的老大。」

左右聽了都哈哈大笑。曹操笑完後說：「我以前只聽說過孫權、劉備，既然你說有劉璋這個人，那就算有吧，他讓你來幹嘛？」

張松連說：「劉璋讓我帶了些貢品孝敬你老人家。」

曹操問：「以前怎麼沒見孝敬呢？」

張松心說，以前不就是沒有張魯這瘟神威脅嗎？口說：「不是不想孝敬，關鍵是途中有好多強盜！」

曹操不樂了：「你只要說是孝敬我曹操的，以我曹操的威名，哪個強盜還敢動這念頭？找死啊？」

張松：「你說這話可不對，人家孫權、劉備、張魯哪一個買你的帳？」

這話噎得曹操半天說不出話，拂袖而去。

左右都指責張松頂撞了曹操，張松說：「我們西川沒有馬屁精。」

楊修聽了，抬槓的癮犯了，問道：「你說你們西川沒有馬屁精，那你說說都有些什麼？」

張松：「我們西川地大物博，人口眾多，地靈人傑……」

楊修：「等等！」楊修從書架上找出一本《曹操新書》遞給張松，「我家丞相寫的這本兵書，你們西川誰有這能力？」

張松翻了翻說：「什麼東西呀？除了抄襲還是抄襲，這些我們西川三歲的小屁孩都能倒背如流。」

楊修：「吹牛逼吧你！背來聽聽！」

張松二話不說就背給楊修聽，楊修聽完後大驚：「難道真是抄襲？以丞相這知名度，不會這麼幹吧？」

張松：「林子大了，什麼丞相……」

楊修連忙捂上張松的嘴，左右看看，並無一人，原來其他人見曹操走了，又見他二人說的也沒多有趣，就先後都走了。楊修小聲對張松說：「以後說話注意點，你說這話如果被曹操聽到了，可是掉腦袋的事。」

張松嚇得直伸舌頭。

楊修辭了張松來見曹操，把有關抄襲的事說了，曹操聽完臉色蒼白，心想：靠！被那賣舊書的老頭騙了！那老頭說是全世界僅此一本才買的。曹操連忙吩咐楊修：「趕快把所有的《曹操新書》燒了，以後隻字不許再提！」

楊修邊走邊想，人家秦始皇焚書坑儒是燒別人的書，你倒燒起自己的書來，可見真是抄襲。楊修嘴裡嘟囔：「真是林子大了，什麼丞……」說了半截趕緊把自己的嘴捂了起來。

第二天，曹兵在操場上操練，曹操邀請張松來看，曹操問：「雄壯不？」

張松：「雄壯。」

曹操問：「威武不？」

張松：「威武。」

曹操問：「牛逼不？」

張松：「牛逼。」

曹操：「西川有不？」

張松：「沒有，但我們西川不以武治人，而以仁治人。」

曹操哈哈大笑：「仁有狗屁用，我以我的雄師打天下，攻無不取戰無不勝，敵人見了望風而逃，那真是順我者昌，逆我者亡！」

張松：「也未必，你以前在濮陽打呂布、在宛城打張繡、在赤壁打周瑜、在華容道打關羽……」

曹操大怒：「靠！你是來求我打張魯呢，還是來揭我老底？滾！」

張松懊惱不已，再去求，曹操不理，跪下來給曹操磕頭，磕完仰起頭再看，曹操早沒影了。張松心說：靠！這下我拿著豬頭找不著廟門了！想完扭頭就走。

第49回

張松賣西川

劉備率軍到西川沒幾天，果然張魯來了，劉備出兵去打。這張魯部雖然人多，但都是烏合之眾，也不算太難打。劉備打完之後回頭又趁機占了西川。

回西川的路上，張松猛然想起，事情辦砸了，這一回去既丟人，又得丟人頭。思前想後，決定投奔劉備，就給劉備打電話：「劉哥！我現在年休，想去你那兒參觀參觀，不知道歡迎不歡迎？」

劉備：「怎麼不歡迎？歡迎！歡迎！歡迎！熱烈歡迎！」

果然，剛到劉備的勢力範圍，劉備就帶著趙雲、關羽、諸葛亮、龐統及眾士兵來迎接，並一齊高喊：「歡迎指導！歡迎批評！」

張松哪受過這般待遇？自是受寵若驚。在歡迎Party上，張松總想張口問劉備需要不需要人，但礙於面子一直說不出口。如此這般喝了三天的酒，侃了三天的大話，張松始終張不了口，劉備也始終沒有說讓張松留下來。張松看再也賴不下去了，只得藉口休假到期要走，劉備又送了老遠老遠。

張松看劉備待自己這麼好，自己無以回報，突然心生一計說：「劉哥！我準備賣你一塊地，不知道你要不要？」

劉備：「哪兒？多少錢？」

張松：「西川，我不要錢，你以後讓我當個一官半職就行了。」

劉備：「靠！那戶主可是你家劉璋的，他什麼時候轉賣給你了？」

張松如此這般說了一通，劉備聽了連連點頭。最後，張松說：「我在裡應，你在外合，不就ＯＫ了？」說完並把一張西川軍事地圖送給劉備。

劉備看了大喜過望，劉璋哥們，我來了。

劉璋聽到張松說大功告成後，大擺慶功Party。

酒過三巡，劉璋問：「曹操什麼時候派兵打張魯？」

張松：「曹操那王八羔子不買咱們的帳！」

劉璋暈：「靠！說了半天是事沒有辦成？來人哪！把張松拉出去喀嚓了！」

張松嚇得兩腿哆嗦：「慢！慢！慢！曹操不同意，我又給你做了樁好生意，讓劉備幫咱打張魯。」

這時刀斧手屁顛屁顛過來問劉璋：「喀嚓哪一個？」

劉璋回說：「現在不想喀嚓了，先下去吧！」回頭又對張松說：「靠！你是老大，還我是老大？」

張松：「當然你是老大，我只不過是幫你簽了個意向協議，最後拍板定案還得由你做主，不是？」

劉璋猶豫不決，張松猛吹耳邊風：「你想啊！現在這天下曹操姓曹，孫權姓孫，張魯姓張，唯有皇帝、劉備和你姓劉，除了劉備還有誰能讓你信得過？」

劉璋對眾文武說：「各位，不要只顧啃雞腿雞屁股的，也發表發表高見！」

於是，眾人各抒己見，支持聲無幾，反對聲一堆。

黃權：「你千萬別信張松胡說八道，他肯定和劉備是一撥的，如果你聽了他的話，咱這西川早晚得姓劉，劉備的劉……」

劉璋：「等等！你剛才說張松和劉備是一撥的，有證據嗎？」

黃權：「沒有！」

劉璋：「那不是胡亂栽贓？」

王累：「從歷史上說，劉備剛開始跟著曹操幹，卻害曹操，後來跟著孫權幹，又奪了人家的荊州，按機率算，劉備試圖霸占西川的可能性比較大。」

黃權又說：「對！從綜合實力上說，劉備文有諸葛亮、龐統，武有關羽、張飛、趙雲、黃忠、魏延等，他真要是不講理要霸占，咱們也打不過他。」

劉璋反問：「關鍵是張魯已經要打咱們了，不請劉備誰又有什麼高招？」

眾文武鴉雀無聲，劉璋一拍桌子：「就是劉備了。」

說完，劉璋就撥了劉備電話，協商出兵事宜。

劉備放下電話，對龐統說：「劉璋果然同意咱們到西川打張魯！」

龐統聽了，「耶！」和劉備擊手相慶。

龐統：「靠！真是引狼入室！」

劉備：「你就不會說得委婉一點？」

龐統：「引賊入室！」

劉備：「你到底和誰一撥？」

龐統呵呵一笑：「那就叫請君入甕？」

劉備：「不吉利啊！掌嘴！」

龐統聽了裝模作樣意思了一下，並糾正爲：「不來自請！」

劉備這才滿意地哈哈大笑。

劉備率軍到西川沒幾天，果然張魯來了，劉備出兵去打。這張魯部雖然人多，但都是烏合之眾，也不算太難打。劉備打完之後回頭又趁機占了西川，不好的一面是永遠失去了龐統，鳳雛先生爲劉備捐軀了。

這期間，孫權得知劉備領著主力去西川打張魯了，就和文武大臣們商量著武力討荊州。吳媽聽說後怕傷及女兒死活不同意，孫權說：「這還不簡單，打個電話，就說妳病重讓她回來，不就得了？」

孫小妹聽了電話果然相信，連夜趕了回去。

第 50 回

諸葛瑾計取荊州未果

諸葛瑾急了，劉備說：「那關羽不給，我也沒辦法啊，總不能我帶兵把荊州攻了還你吧？」諸葛瑾：「靠！你們這不是扯皮？」

曹操退了兵，孫權沒事了，劉備得了西川也沒事了，但人生來就是用來製造矛盾和解決矛盾的，兩人一閒下來就沒事找事。

孫權見劉備得了西川，就想派人拿著合同找劉備索要荆州。

張昭說：「老大！這老一套早就不頂事了，現在這合同狗屁用處都沒有，你也知道劉備是個不講信用之人，諸葛亮又詭計多端，總能想出來法子唬弄咱們。劉備靠的不就是諸葛亮？諸葛亮的哥哥諸葛瑾不就在你這幹？不如這樣，你把諸葛瑾的一家老小扣爲人質，讓諸葛瑾去求劉備，他諸葛亮總不至於爲了荆州而不顧他哥哥一家老小吧？」

孫權聽了說：「你這計好是好，只是咱們平白無故抓了諸葛瑾的家人當人質，太不人道了吧？」

張昭：「哪讓你真抓了？只是做做樣子，騙騙劉備和諸葛亮而已。」

孫權哈哈大笑：「想不到你張昭的ＩＱ還蠻高的啊！」

第二天，劉備正閒著沒事幹，有人通報說諸葛瑾求見。劉備問諸葛亮：「你哥找我會是什麼事？」

諸葛亮：「還有什麼事？荊州唄！」

劉備：「那我該怎麼辦？不如我們把荊州還了，要不孫權鐵定上網造謠，說我太沒信用了。」

諸葛亮附在劉備耳邊低語，如此這般一番，劉備聽了大喜。

諸葛瑾進來，見了劉備倒頭便拜，然後大哭起來：「嗚嗚嗚……你快救救我一家老小吧，嗚嗚嗚！為了荊州，孫權把我一家人扣為人質了，嗚嗚嗚，他孫權真不是東東，嗚嗚嗚……」

諸葛亮聽了大驚失色，連問：「你說的都是真的嗎？」

諸葛瑾信誓旦旦地說：「我敢對著地上這歐典地板發誓，我說的都是真的。」

諸葛亮聽了，也跪下向劉備求情：「大哥！你就發發慈悲吧！求求你看在我的面子上，還了荊州，讓孫權放了我哥一家人吧！」

劉備：「阿亮，你懂不懂生意啊？你的面子值多少錢？你哥一家人值多少錢？我一個荊州又值多少錢？這是等值交換嗎？不行！」

諸葛亮威脅說：「你要是不同意，我就碰死在你面前！」

劉備：「那也不行！」

諸葛亮看這招不好使，又對諸葛瑾說：「他劉備不全靠我諸葛亮？哥！走！我隨你去投靠孫權，我給孫權出點子來打劉備。」

劉備聽了連忙說：「那好吧！我就發一次慈悲，先把荊州的長沙、江夏、桂陽還給你家孫權吧！」

諸葛瑾和諸葛亮兄弟二人看劉備簽完了紅頭文件，「耶」地一聲擊掌相慶。

諸葛瑾喜孜孜地拿著紅頭文件辭了劉備、諸葛亮，就去荊州找關羽交接，關羽看完大怒：「靠！哪有說還就還的？不還！」

諸葛瑾大驚：「你不知道官大一級壓死人？劉備簽的，你敢不聽？」

關羽：「劉備是我大哥，我就是不還，劉備又能怎麼樣？你諸葛瑾又能怎麼樣？不還！不還！就不還！」

劉備那個白臉的還好說話，關羽這個紅臉的怎這麼難溝通呢？諸葛瑾急了：「這紅頭文件，劉備都簽了，你們總不能說話不算話吧？總不能不講理吧？」

關羽：「誰簽的你找誰要，反正我就是不給。」

諸葛瑾無奈，給諸葛亮打電話，同事說出差了，打手機，不在服務區。只得給劉備打電話了，劉備說：「那關羽不給，我也沒辦法啊，總不能我帶兵把荊州攻了還你吧？」

諸葛瑾：「靠！你們這不是扯皮？」

劉備：「我警告你！說話文明點啊！」說完掛了。

諸葛瑾只得把實情報告孫權，孫權怒了：「這幫人真滑頭，這恐怕又是你弟諸葛亮的計謀吧？」

諸葛瑾：「不是！不是！他也親自替我求情，劉備才簽了紅頭文件的。」

孫權真撓頭，想了想：「那這樣吧，你先回來，我往長沙、江夏、桂陽三地派過去官員再說。」

過了兩天，孫權派往三地的官員先後都被轟了回來。

第51回

關雲長單刀赴宴

突然，關羽一手扣上魯肅的胳膊。魯肅頓時傻了眼，想下令刀斧手下手，又怕關羽先殺了自己。就這樣子，五十名刀斧手眼睜睜地看著魯肅被扣為人質。

孫權怎一個氣字了得，氣呼呼去找魯肅，「看你簽的什麼破合同！」

魯肅低頭不語，想了一會說：「不如這樣，咱們開一個Party，請關羽參加，咱們用好話、軟話、講理話、威脅話和他商量。他同意便罷，如果不同意，讓埋伏的刀斧手把他喀嚓了。如果他不肯來，咱們就帶兵武力攻取。」

孫權覺得他這計不怎麼樣，但又沒有更好的辦法，只能死馬當做活馬醫了。魯肅看孫權並不反對，就給關羽打電話，關羽的爽快出乎魯肅的意料，孫權聽說關羽同意後，就在酒店裡佈置了五十個刀斧手。

關羽放下電話，關平說：「老爸！該不會是鴻門宴吧？」

關羽答道：「兒子！你真是越來越聰明了，是鴻門宴又如何？難道我還怕他魯肅不成？」

關平：「一個魯肅並不可怕，可怕的是，食物裡會不會下毒？暗地裡會不會埋伏下N個刀斧手？會不會……」

關羽：「打住，打住！你怎麼不給老爸打打氣，反而嚇唬老爸？現在已經答應了，你說怎麼辦？」

關平：「這樣吧，既然答應了，你就去，我派五百精兵暗中保護你，如果有個風吹草動，我們一擁而上幹死他們。」

關羽聽了，這才稍微放下心來。

第二天中午，關羽一個人提了口大刀來了。

魯肅親自出門迎接，寒暄之後坐到席前，二人碰了三杯之後，魯肅請關羽吃菜。關羽正要下筷，突然想起兒子說的「可怕的是食物裡會不會下毒」，就停了下來說：「你是主人，你先請！」

魯肅：「你是客人，你先請！」

魯肅越是謙讓，越是引起關羽的懷疑，關羽也是個直腸人，「你不吃，莫不是這菜裡有毒？」

魯肅心裡咯噔一下，心說：是呀！我只著顧埋伏刀斧手了，怎麼就沒想到往菜裡下毒呢？下次一定要記得！

魯肅想完，自顧自拿了個雞腿啃了起來。關羽看魯肅吃了沒事，也拿了個雞屁股大口啃了起來。吃著吃著，關羽沒話找話：「K鈴製造的〈我不想說我是雞〉，你聽過沒聽過？」

魯肅心不在焉地說：「聽過。」

關羽：「頂！現在社會上的說法確實不能全信，全信了你就什麼肉也別吃了，吃雞肉吧怕有禽流感，吃牛肉吧怕有瘋牛病，吃豬肉吧怕有口蹄疫……那你說，還有什麼肉能吃？難道吃人肉不成？」

他這話在暗示什麼？該不會想吃我的肉吧？魯肅聽了，嚇得大氣粗喘，更不敢看關羽一眼。

又喝了一陣子酒，吃了一陣子菜，魯肅想該切入正題了，終於鼓起勇氣說：「以前我和你劉哥簽過一份關於借荊州的合同，現在……」

關羽一聽就知道是還荊州這件破事，藉著酒勁猛搖頭：「不同意！不同意！就是不同意！你能怎麼著？」

魯肅：「關哥，你可想清楚了再說啊！」

魯肅說完示意關羽往電梯口處看，關羽看後倒抽一口冷氣，「魯哥，你算術好，幫我算算，一排十人，那五排一共……」

魯肅：「五十人。」

關羽揉揉眼睛：「是我喝高了，還是那邊確實站著五十個人呢？怎麼好像每人手裡還提著一把刀?」

魯肅答道:「對!你沒喝高，那確實是五十名刀斧手，只要我一聲令下，他們就要把你剁成肉泥。」

關羽聽了，走到窗口向下看，魯肅:「別看了，這是八樓，跳下去必死無疑，你還是同意還荊州了吧!」

關羽看到關平和眾士兵果然在，底氣壯了些:「如果我沒看錯的話，我兒子和五百名士兵就在下面。」

魯肅將信將疑，走到窗前一看，「一、二、三、四、五、六……」

魯肅正在數人數，突然，關羽一手提了大刀，一手扣上魯肅的胳膊就往電梯口走。魯肅頓時傻了眼，想下令刀斧手下手，又怕關羽先殺了自己。就這樣子，五十名刀斧手眼睜睜地看著魯肅被扣爲人質進了電梯下了樓。

出得酒店，關羽說:「魯哥，真不好意思!今天喝多了不能談正事，改日你到荊州，咱倆再談還荊州的事。」

魯肅支支吾吾，哪裡敢去?

關羽:「不用客氣了，你就送到這吧。」說完就把魯肅鬆開了。

魯肅嚇得臉色蒼白，兩腿一軟癱倒在地，絕口不敢再提還荊州的事。

孫權得知後，正想武力解決荊州，卻聽小道消息說曹操又發神經了，整天嚷著準備打東吳，只得作罷。

後來，曹操並沒有來，原來曹操聽了傅幹的建議，在家養精蓄銳呢。

第 52 回

曹操施計滅張魯

走到半道，曹操不走了，對許褚等眾人說：「打仗不但要用手打，更重要的是要用腦打，我剛才說退兵的話，是說給張魯的人聽的，這叫引蛇出洞。」

話說曹營裡，謀士們一閒下來沒事，就商量著把曹操的稱呼由丞相改稱爲魏王。

荀攸不同意，勸諫說：「丞相已經是皇帝下面最高的官職了，再設個王，不合理，不合法！」

曹操不高興了：「靠！我就是理，我就是法，順我者昌，逆我者亡。」

荀攸眼看自己失寵，不久之後抑鬱而死。

獻帝和皇后聽說後鬱悶至極，獻帝：「曹操先是稱丞相，現在要稱王，早晚要廢了我這皇帝，這可如何是好？」

皇后想了想說：「既然如此，不如讓我老爸想法子殺了曹……」

獻帝聽了嚇得膽顫心驚，連忙捂上皇后的嘴，「噓！小聲點！」左右看看，只有個宦官穆順。

穆順見勢忙說：「我耳背，什麼也沒聽見。」

皇后：「不用裝了，既然聽到了，我就託你辦點事。」

穆順只得走到皇后近前聽候安排。皇后簽了個誅殺曹操的密令，藏於穆順的頭髮內，「你務必把這信帶給我老爸伏完，千萬別讓曹操的人發現。」

穆順：「Why？」

獻帝翻白眼，罵道：「你傻蛋啊你？如果被曹操的人發現了，我、皇后、你都得被曹操喀嚓了。」

獻帝說著，用手在穆順的脖子上比劃著，直嚇得穆順用手摸了摸脖子。看看手，還好，沒出血，摸了摸腦袋扭了扭，還好，仍在。

穆順出了宮，直奔伏完家。

伏完看後兩手一攤：「靠！曹操那麼多保鏢，我有什麼辦法？除非曹操在外和孫權或劉備打仗之時，讓殺手乘機除掉曹操……」

穆順：「你和我說再多也沒用，你還不如寫到紙上，我再帶給皇后看。」

回來的路上，有人從背後拍了一下穆順的肩問：「小穆，上哪去了？」

穆順頭也沒回，也沒多想說：「送封信！」回過頭一看是曹操，頓時傻了眼，連忙改說：「不是送信，是爲皇后請醫生。」

曹操問：「皇后得的什麼病？」

穆順隨口說：「腎虛。」

曹操：「大膽！敢用這話唬弄我，你以爲我跟你一樣白啊？」

曹操立即命人搜身，果然在穆順的頭髮裡搜出信，曹操看後大怒，派人把伏家老小全抓起來喀嚓了，又帶人來到後宮把皇后抓了出來。

皇后求曹操：「請丞相發發慈悲，饒我一命吧！」

曹操：「饒妳？我發了慈悲饒了妳的命，讓妳來殺我？」

皇后：「我下不爲例，再也不敢了！」

曹操：「來人哪！把她拖出去砍了！還有，把她生的兩個兒子順便喀嚓了！」

於是，皇后鬼哭狼嚎地被人拉出去喀嚓了，嚇得獻帝哇哇直哭。

曹操走過來拍拍獻帝的肩說：「別哭了，不用怕，你對我還有用處，我不會殺你，你不就是少了一個皇后嗎？回頭我把我女兒送給你做皇后。」

獻帝小命保住了，這才稍稍安下了心，止住了哭。

曹操休養生息了一段時間後，又琢磨著打孫權和劉備，有人建議：「這兩個硬骨頭，一個也不好啃，不如先捏個軟柿子張魯練練兵？」

曹操看板磚不多，頂的不少，就OK了。

第一撥夏侯淵率兵去打陽平關，結果大敗而歸。

曹操罵夏侯淵：「傻蛋！白癡！神經質！」

夏侯淵：「你直接罵蛋白質不就得了？」

曹操：「還敢頂嘴！小小一個陽平關有那麼難打嗎？」

夏侯淵：「你就只會在家裡瞎指揮，你去打打試試？」

曹操：「我還真不信那邪！我就去試試。」

第二撥曹操親率大軍去打，到了陽平關一看，大叫：「切！這張魯的ＩＱ也不低嘛！這陽平關險要得也太誇張了吧！算了！不打了，回去了！」

許褚：「既來之則打之，你要是不戰而回，見了夏侯淵還有什麼臉面？」

曹操：「臉面是狗屁！我總不至於蛋白質到要臉面不要性命吧？」

許褚見拗不過曹操，只得跟著往回走。

走到半道，曹操不走了，對許褚等眾人說：「打仗不但要用手打，更重要的是要用腦打，陽平關確實太險要，硬攻不下。我剛才說退兵的話，是說給張魯的人聽的，這叫引蛇出洞。」

曹操一面打手機給夏侯淵如此這般吩咐一番，一面帶眾人往遠處跑。

把守陽平關的楊昂果然中計，帶著大部人馬來追，追了老半天看實在追不上就又帶兵回去了，到了關口敲了N聲門就是不開。楊昂暗想，莫不是看大門的睡著了，就大聲喊：「芝麻開門！芝麻！芝麻！快開門！」

門還是紋絲未動。難不成暗號改了？楊昂試著唱：「小羊兒乖乖，把門開開，我要進來。」果然裡面有動靜了，楊昂很生氣：「我是楊昂，快開門！你們這群王八羔子不認識自家人了？」

裡面一個聲音叫著說：「誰跟你自家人？現在這陽平關已經改姓曹了！」

楊昂大吃一驚，往關裡的旗桿上看，果然，一面寫著「曹」字的大旗正迎風飄揚。楊昂想不明白，自己不過一出一進，陽平關怎麼就姓曹了呢？曹操不是被自己攆得老遠了嗎？

楊昂正在琢磨，曹操帶著人馬又殺了回來，這時候關裡也衝出夏侯淵的人馬，兩面夾擊下，楊昂的人馬死的死，傷的傷，逃的逃，降的降。楊昂至死都還二目圓睜，愣是沒有弄明白怎麼回事。

曹操奪了第一關，來到第二關南鄭。

南鄭由龐德把守，曹操派了四員大將都打不過，曹操急得抓耳撓腮想不出更好的辦法。謀士賈詡獻計說：「張魯有個謀士楊松腐敗得緊，可以賄賂楊松，讓他離間張魯和龐德的關係。」

曹操拍手叫好。果然，楊松拿了賄賂之後，立刻到張魯那打龐德的小報告，臉不紅心不跳地說：「魯老大！這龐德本來就是投降過來的人，你看他今天打敗了曹操的四將，就是沒有打死打傷一個，該不是收了曹操的賄賂了吧？」

張魯想想是有些小道理，就叫來龐德質問。龐德大吃一驚：「冤枉啊——我絕對比竇娥還冤枉！」

張魯問：「那你為什麼打敗了四將，卻沒有傷著一個？」

龐德想了想說：「我也搞不明白，他們都是和我打一陣就跑……」

張魯打斷龐德：「我這個人的優點就是不聽解釋，明天出戰再打不死一個，我就喀嚓死你！滾吧！」

龐德鬱悶至極，思前想後……第二天，龐德乾脆投奔曹操而去。

張魯眼看大勢已去，只得投降了曹操，曹操封張魯為鎮南將軍。楊松見了屁顛屁顛跑過來問：「那封我個什麼官？」

曹操訕笑：「你想要個什麼官？」

楊松猜：「鎮東將軍？鎮西？鎮北？鎮中？你看著隨便給一個吧！」

曹操轉笑為怒，罵道：「靠！你這個賣主求榮的傢伙還想要官？來人哪！給我拉出去喀嚓了！」

楊松大喊：「冤枉啊——」

曹操兩眼一瞪：「你敢說你冤枉？」

楊松便不再作聲，只在心底後悔，腸子還未來得及悔青，頭已經被砍了下來。

自此，整個漢中也歸曹操掌控之下了。

第53回

孫曹大戰濡須

甘寧的騎兵見著帶了兵器的曹軍就跑，見著沒帶兵器的就砍，如此這般左衝右突，無一人能擋得住。曹操得報，害怕是什麼計，擔心有埋伏，也沒敢追。

張魯投降後，劉備明白，曹操下一個要捏的肯定就是自己了，於是問諸葛亮：「這可怎麼整？」

諸葛亮想了想說：「現在曹操勢力太強，太牛逼了，確實不好整。這樣吧，咱把答應過還孫權的江夏、長沙、桂陽三郡還給東吳，條件是他得打曹操的合肥。這樣一來，孫權把曹操的兵力引過去了，咱也就不用再怕了。」

還地等於割肉，劉備本來不情願還，但也想不出更好的辦法，只得依計而行。劉備給孫權打電話，孫權聽說劉備要還江夏等三郡當然很高興，又聽了劉備的條件，想想對自己也沒有什麼壞處，就答應了下來。

第一戰戰皖城，甘寧、凌統旗開得勝。

在慶功Party上，酒過三巡，凌統突然想起甘寧是自己的殺父仇人，便說：「這娛樂服務也太不周到了，連個舞女也沒有，我舞段劍給大夥助助興！」說完，拔出劍便向甘寧走過來。

甘寧眼見不妙，連忙說：「一個人玩多沒意思，我陪你玩。」話到手到，兩手取出戟夾住了凌統刺過來的劍。

呂蒙見兩人要鬧出人命了，便說：「我一個人能玩過你們倆。」說完一手提盾，一手提刀把兩人架開了。

話說曹操在漢中正猶豫著是否打劉備，張遼來電，說皖城已經被孫權占領。曹操聽了毫不猶豫放棄了劉備，自帶四十萬大軍來打孫權。

曹軍在濡須駐下後，孫權問：「曹操遠道而來，誰敢去歡迎一下？」

凌統走上前說：「我願帶三千人去打。」

甘寧聽了，在一旁譏笑：「如果是我，只需一百騎兵就夠了！」

凌統聽了，就和甘寧你一言我一語吵了起來。孫權連忙喊Cut：「不要吵了，現在大敵當前，可不是吵架的時候，更不是吹牛逼的時候。凌統說得比較靠譜，你就打個頭陣吧！」

曹軍剛駐下還沒來得及做飯，凌統就前來挑戰，曹操拍著張遼的肩說：「你去對付一陣吧！」

張遼騎上馬來到陣前，對凌統喊道：「我還沒有吃飯呢，等我吃完再打吧？」

凌統：「靠！打仗重要還是吃飯重要？不許吃飯！」

張遼又說：「好吧！那你總得讓我泡包方便麵吧？」

凌統：「不許！真餓的話，你就在馬上乾啃吧！」
張遼無奈，只得乾啃。啃完後張遼又喊：「我能喝口水嗎？」
凌統：「喝吧！」
張遼接過士兵遞過來的水咕咚咕咚喝完，又問：「我能回去泡杯茶嗎？不喝茶，我就沒精神打。」
凌統：「靠！你有完沒完？該不是怯場了吧？」
凌統說完就拍馬殺過來，張遼只得應戰，戰了五十回合，分不出勝負，孫權怕凌統有什麼閃失，就吹哨停止了比賽。
甘寧見了，對孫權說：「我今晚只帶一百騎兵去性騷擾曹軍，如果有一人被抓了鹹豬手，就不算我有功！」
孫權聽了就派了一百精壯騎兵給甘寧。甘寧請騎兵們大吃了一頓，飯畢，說道：「今晚咱們這一百人就去搗曹操的老窩！」
發什麼神經啊？眾騎兵聽了你看看我，我看看你。有騎兵問：「不會吧？老大，就咱們這一百人去打曹操的四十萬大軍？」
甘寧聽了，喝斥道：「養兵千日用兵一時，你不知道嗎？怕死你還當什麼兵？

誰不知道在家摟著老婆睡大覺爽！」

有騎兵聽了反對：「聽說，摟著別人的老婆睡大覺才叫爽！」

甘寧瞪了一眼：「小心人家老公捉了你的姦！行了！貧歸貧，仗還是得打，只要按我說的做，保證你們所有人一根毫毛都不缺。」

甘寧交代了一番，眾騎兵這才稍稍放了下心。

半夜，曹軍經過長途跋涉，雖然誰也沒摟老婆但也睡得正香，甘寧領人大喝一聲衝入曹軍。曹軍從夢中驚醒，也不清楚究竟有多少敵軍，紛紛起床找自己的褲頭、褲子、兵器，頓時亂成一團。

那甘寧的騎兵見著帶了兵器的曹軍就跑，見著沒帶兵器的就砍，如此這般左衝右突，從北門進從南門出，無一人能擋得住。曹操得報，也不知敵軍的底細，更害怕是什麼計，擔心有埋伏，也沒敢追。

甘寧領著一百騎兵一個不少回到吳營，孫權帶人親自迎接，眾人齊喊：「甘寧！牛逼！甘寧！牛逼！」

孫權也樂顛顛跑過來親手給騎兵們發獎金，然後拍著甘寧的肩說：「曹操有張遼，我有甘寧，我怕誰！」

天明後，曹軍麾下樂進前來挑戰，凌統見甘寧立了功不服氣，主動請戰，孫權同意，凌統帶了五千人馬去應戰。

兩人打了五十回合不分輸贏，曹休見狀放了枝冷箭，正中凌統的馬，馬一驚直立起來把凌統掀翻在地，樂進見了舉槍就刺。就在這千鈞一髮之際，樂進也中箭倒地，孫、曹兩軍各跑過去急救，把兩將救回去。

凌統見了孫權就跪下來說：「感謝你讓人在關鍵時刻射中樂進之恩。」

孫權呵呵一笑，反問：「你知道射箭之人是誰嗎？」

凌統問：「誰？」

孫權：「甘寧。」

凌統很意外，連忙感謝甘寧的救命之恩，自此，凌統和甘寧一笑泯恩仇。

第二天，曹操派四萬人來挑戰，孫權人少，傾巢出動應戰。

曹軍士兵偷閒的時候玩的撲克牌上有孫權的頭像，孫權一出現，眾士兵都認得，紛紛圍過來要立大功。周泰見了連忙左衝右突殺入陣中，大喊：「老大！我在前，你在後，快跟著跑！」

周泰一邊衝殺一邊跑到江邊，回頭一看，靠！孫權跟丟了，又騎著馬殺了回去，又喊：「老大！你在前，我在後，快跑！」

周泰打到江邊，又不見孫權，又回頭衝殺了一陣才救出了孫權。這時候，呂蒙見了開著船來接應，孫權和周泰上了船剛走一段，孫權又說：「不好！徐盛還在河那邊呢！」

呂蒙勸孫權：「跑一個是一個吧！」

孫權：「那不行，徐盛是我的得力幹將，得救回來。」

周泰問：「你有那能耐？」

孫權：「我看你挺有能耐的，你去吧！」

周泰：「靠！我還以為你一會兒工夫就長能耐了呢，原來還得讓我去拼命。」

孫權：「救人救到底嘛！再說了，我也不會虧待你，你身上如果有一處傷，我就賞你一杯酒。」

周泰：「那好吧！誰讓官大壓死人呢。」

周泰上了岸走了沒幾步又回來了，孫權問：「怎麼了？嫌一杯少？」

周泰：「不是，我是想請呂蒙做個見證，萬一我戰死了，你可不能昧了我的酒

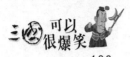

帳，得讓我的兒子繼承。」

呂蒙聽了忙找出紙筆寫了三份證明，讓孫權和周泰分別簽字畫押，周泰又看著呂蒙在三份上「公證人」的後面都簽字，自取一份藏入內衣之中才放心離去。周泰又是一陣衝殺，救出了徐盛。

孫權和曹操如此這般打了一陣子，孫權眼看打不過，就申請每年向曹操交保護費，請求曹操撤兵。曹操看繼續打佔不了便宜，孫權這骨頭並不好啃，就賣了個人情同意了。

第 54 回

第三次暗殺行動

就在曹休快頂不住的時候，夏侯惇接到曹操的命令，也帶了三萬人來接應，把許昌圍了個水洩不通，接著命令士兵進城廝殺。

曹操回到許昌找獻帝請功，獻帝說：「你已經自稱丞相，後來又加了九錫，除了皇帝，你還想當什麼就儘管說吧！」

曹操：「丞相我早當煩了，你封我魏王吧！」

獻帝哪敢不從，只得說：「既然你想當，那就當唄！」於是，曹操從此以後就由丞相改稱魏王了。

有人高升就有人看不順眼，耿紀見曹操得寸進尺當了魏王，有天見了韋晃就說：「我看見曹操那人模狗樣的，就想幹死他，但又幹不過他。」

韋晃：「眾人拾柴火焰高嘛！咱們可以合起夥來整死他，我有個哥們叫金禕，是御林軍長史王必的哥們，說不定他能幫上咱們一把！」

耿紀聽了大笑：「靠！既然他是王必的哥們，他會幫咱們？」

韋晃：「那也不一定，行不行試試嘛！」

二人商商量量來到金禕家，金禕開門一看一個是哥們韋晃，另一個眼生，就問：「這位老兄怎麼不認識呢？」

韋晃：「他叫耿紀，都是酒場上的朋友，我給介紹一下不就認識了！」

一陣寒暄之後，金禕把二人讓到客廳，「坐！請坐！請上坐！」又吩咐下人：

「茶！上茶……」

韋晃聽了說：「靠！幾月不見怎麼還這麼小氣？直接上酒！」

金禕就又改口：「酒！上酒！上好酒！」

酒過三巡，金禕問：「韋兄，今天有何貴幹？」

韋晃：「切！你什麼時候說話變得這麼文謅謅？我也來一句吧！我這叫無事不登三寶殿，求你走後門來了。」

金禕：「靠！我又沒當什麼大官，有什麼後門？」

韋晃：「曹操現在當了魏王，以後看來還要當皇上，你和王必早晚也會高升，你吃肉的時候，我們也想沾沾光喝點湯，不知道哥們你肯不肯賞我們一些光？」

這時候正好下人拿來酒，金禕端起杯子把酒潑到韋晃臉上，酒順著臉往下流。

韋晃一楞，用手一抹臉說：「靠！看來要高升了，就不認哥們了！」

金禕生氣：「交你這哥們這麼多年，真是知人知面不知心，你難道不知道我這人從來都是以漢民爲榮，以魏民爲恥？」

韋晃和耿紀見金禕也很不爽曹操，看來很有共同語言，就說明了來找金禕的真實意圖，三人一拍即合。

拍完後，耿紀又犯難，「咱們有這賊心，也沒這賊膽呀！」

金禕：「我有兩個哥們吉邈、吉穆，我讓他們也加入，咱們再和劉備聯繫一下，來個裡應外合打曹操，人多了咱們不就有膽了？」

耿紀聽完又說：「咱們有這賊膽，也沒這賊款呀？」

金禕：「這也好辦，和獻帝聯繫一下，讓他撥經費。」

耿紀又說：「咱們有這賊款，也沒這賊權呀？」

金禕：「這更好辦，我想法子殺了王必，不就有權了？」

韋晃不解：「王必可是你哥們呀！」

金禕不假思索說：「我師父早對我說過，哥們是用來出賣的，如果值錢的話。」

三人哈哈大笑，笑完之後又商量殺王必奪權的計謀。

正月十五這天，金禕到王必營中喝酒，酒過三巡，金禕說喝多了，要到WC放放水，這一去就再也沒回來。

王必左等右等，正尋思著難道金禕是不是掉進WC裡面了，突然有人報告營中失火。王必大吃一驚，批覆：「先撥一一九，然後自救！」

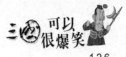

王必來到院內，果然見營中火光沖天，見勢不妙，騎上馬就往南門跑，剛一露頭，正好遇見耿紀。

耿紀拉開弓，弦響箭到，王必應聲落地，但哪顧得了疼，一骨碌爬起來就往西門跑，接下來進行了一場人馬賽跑。

人說，兔子逼急了會咬人，那王必被逼急了，兩隻腳丫子賽得過四隻蹄子的馬，估計此時帶傷的王必比劉翔跑得還快。跑了一陣子，見後面暫時沒了追兵，又擔心起哥們金禕來，就跑到金禕家敲門。

金禕的老婆以爲是金禕回來了，就一邊來開門，一邊隔著牆問：「這麼快就把王傻必喀嚓了？」

王必聽了很是詫異，這王傻必是誰呢？想了半天才明白，原來金禕和軍事政變那幫是一撥的，還要喀嚓自己！

王必明白後拔腿就跑，跑到曹休家告訴他金禕們軍事政變的事，曹休聽完連忙帶了一千多士兵鎮壓。

此時，城內到處都是火光，到處都是高喊著：「打倒曹賊！還我漢室！」的遊行示威的人群。

就在曹休快頂不住的時候，夏侯惇接到曹操的命令，也帶了三萬人來接應，把許昌圍了個水洩不通，接著命令士兵進城廝殺，直到天亮，這次軍事政變才算完全鎮壓下來。

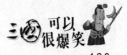

結果，曹操毫髮無傷，耿紀、韋晃、金禕、吉邈、吉穆五家老小全被喀嚓，唯一小有收穫的是，王必因中箭失血過多，搶救無效，爲曹操捐軀了。

第55回

老將黃忠發威

黃忠前來劫寨，夏侯尚和韓浩沒有半點準備，一直跑到漢河邊。一會兒，張郃也跑來了。黃忠如下山之猛虎；夏侯尚、韓浩兵敗如山倒。

放下許昌不表，再說前線張郃把守在宕渠山，張飛得令前去挑戰。張郃依賴險要的地勢和堅固的工事只守不出，張飛氣得天天前來大罵，但張郃就是龜縮著不出，張飛看實在是沒轍，就在對面的山頭上天天喝酒。

如此這般五十多天，早有手下到劉備那打張飛的小報告，劉備聽說後找諸葛亮商量：「這可怎麼整？」

諸葛亮哈哈一笑說：「這事簡單，前線哪有什麼好酒？買最好的酒五百瓶，大張旗鼓地給張飛送過去。」

劉備：「那得多少錢？還有，你這不是把張飛往火坑裡推？」

諸葛亮：「張飛是你多年的結拜兄弟，你還不知道他那幾招？你以為他傻啊？他這是引誘張郃出洞之計。」

劉備一拍大腿：「噢！我明白了！不過，這五百瓶好酒得費我多少錢呢？」

諸葛亮：「五百個空酒瓶好整吧？裡面再灌上水也好整吧？裝裝樣子就行了，你還想讓張飛真喝不成？」

劉備聽了開懷大笑。

張郃透過望遠鏡多日觀察，證明張飛確實是個酒鬼，膽子大了起來。這夜，張郃乘著月色來劫張飛的寨，遠遠看見張飛正開著燈喝酒。張郃悄無聲息來到跟前，大喝一聲：「去死吧你！」

一槍刺出，原來是個稻草人，張郃暗叫不好，再看身後，已經被張飛的人包圍。等張郃殺出一條血路時，看到宕渠山上大火連天，知道宕渠山已被張飛占領，只得鬱悶地投奔瓦口關而去。

張飛窮追猛打，追到瓦口關，看看山勢險要，不敢輕舉妄動，先叫雷銅去打頭陣。雷銅叫陣，張郃應戰，打了N回合，張郃假裝打不過，拍馬往回跑，雷銅哪裡肯放過，緊追不捨，半道上正中了張郃的埋伏，眾人劈哩啪啦就把雷銅給咯嚓了。

再去挑戰，張郃打了沒幾回合又敗走，張飛不吃他這一套，「你這計用過就不好使了，換個新鮮的再來吧！」

晚上，張飛和魏延商量，魏延說：「張郃不就是靠他半道上的伏兵嗎？我明天放火燒了他丫的！」

第二天，張飛再和張郃打，張郃應付了幾下又撤，張飛笑了：「我還真不信那邪！我追你又如何？」

張郃也笑了：「就怕你不追！」回頭一看，半道坡上的草著火了，自己的伏兵被燒得手舞足蹈，又蹦又跳又叫，好不熱鬧。

張郃知道中了螳螂捕蟬黃雀在後之計，也顧不得許多了，三十六計，逃命上策，撒開了馬蹄子跑回瓦口關，從此再也不敢出戰了。

張飛正自鬱悶，偶爾從山民口中得知，到瓦口關還有一條小道，便引著士兵順著小道殺上去，誰知道張郃又走脫，逃往南鄭了。

曹洪見張郃屢戰屢敗，本來要咯嚓了他，但又考慮到張郃是曹操的紅人，便又拔給他五千人去打劉備的葭萌關。

劉備聽說後，急得哇哇直哭，問諸葛亮：「這下怎麼辦？」

諸葛亮：「一物降一物，我看張飛打張郃打得挺順手，還叫他來吧！」

劉備：「張飛離葭萌關忒遠，不通火車，不通汽車，坐飛機又沒有機場，我看是遠水解不了近火呀。」

諸葛亮：「那我就也沒有辦法了。」

劉備問眾將：「各位誰敢去擋？」

有人竊竊私語：「聽說張郃是曹操的紅人，不厲害他怎麼會是紅人？」

「對！我也聽說張郃是員猛將，咱可不能去送死。」

劉備看沒人敢去，便說道：「我就不信重賞之下沒有勇夫？我多發點獎金，有沒有人去？」

又有人說：「切！萬一被張郃打死了，再多獎金又有屁用？」

正在這時，黃忠站出來說：「獎金多的話，我去。」

諸葛亮壞笑說：「這是去打仗，可不是去旅遊，你都快七十的人了，你打得動嗎？可別貪錢而送了老命！」

黃忠看好事要黃，急了，「話說人老骨頭硬，越老越中用，你可別小瞧我這麼大年紀，我的力氣還和年輕時一樣大。」

諸葛亮：「舉例證明。」

黃忠：「我家村口有個石獅子，年輕的時候我試了試，沒抱動，前幾天我又試了試，還是沒抱動。」

眾人聽了爆笑，黃忠瞪大眼睛對眾人說：「真的！有老夥計嚴顏作證。」

劉備和諸葛亮商量：「其他也沒人敢去，要不就讓他去？」

諸葛亮：「看來只能這麼辦了。」

老將嚴顏看拿獎金如此簡單，也自告奮勇走上前說：「那我也要去。」

劉備：「那好吧！黃忠先說爲主將，嚴顏後說爲副將。」

二老將拿了獎金，領了兵來到葭萌關，黃忠前去挑戰。張部見是一個白髮白鬍子老頭就不應戰，黃忠問：「Why?」

張部：「看你也是個要錢不要命的主，我受過中華N千年的文明薰陶，受過尊老愛幼的思想教育，我今天也不欺負你，你趕快回家抱孫子吧！」

黃忠：「你歧視老人！看來我今天不露一手，你是不知道我『中原夕陽紅』的厲害，甭管老貓小貓，能逮耗子的都是好貓，來吧！」

說完，兩部人馬乒乒乓乓就打了起來。張部正打得歡，猛聽得背後烏泱烏泱的人聲，回頭一看，原來嚴顏領一部人馬從後面包抄了過來，張部大吃一驚，丟下一句「這老東西還知道兩面夾擊呢」，大敗而回。

曹洪聽說張部又敗了，又想喀嚓了張部。郭淮建議說：「你老說要喀嚓他，要是把他逼急了投靠了劉備，咱損失不就更大了？」

曹洪聽了是有道理，則問：「那你說，他老是打敗仗該怎麼整？」

郭淮：「不如再派些兵去幫助他，當然也是監督他。」

曹洪看別無他法，只得派夏侯尙和韓浩帶了五千兵幫張郃去打黃忠。

夏侯尙、韓浩到了葭萌關，和黃忠沒打一會，黃忠就棄寨敗逃了二十多里再紮營；夏侯尙、韓浩追上去打，黃忠又棄寨敗逃。夏侯尙對韓浩說：「這黃忠畢竟老了，並不像張郃說的那麼厲害。」

韓浩：「頂！張郃也太低ＩＱ，太蛋白質了。」

第二天，二人又攻下了黃忠一寨，張郃進言說：「黃忠可是大大的厲害，他這次連敗，說不定又是要什麼陰謀詭計！」

夏侯尙：「去！去！去！哪邊涼快哪邊去！怪不得你屢戰屢敗，原來這麼膽小如鼠，一朝蛇咬還十年怕井繩不成？」

張郃滿面羞愧地退了出去。

此時，黃忠的人也向劉備打小報告，劉備急得抓耳撓腮，問諸葛亮：「阿亮，你說這又該怎麼辦？」

諸葛亮呵呵一笑：「如果我沒猜錯的話，黃忠這次用的是驕兵之計。」

劉備將信將疑，派乾兒子劉封去問個清楚。

劉封見了黃忠，說明了來意，黃忠拍拍劉封的肩說：「你就放心吧！我這叫驕兵之計，今晚你就替我搬戰利品吧！」

是夜，因爲夏侯尙、韓浩對黃忠屢戰屢勝，也就對黃忠放鬆了警惕，二人睡得正香，突然被喊殺聲驚醒，原來是黃忠前來劫寨。夏侯尙和韓浩沒有半點準備，連忙提了褲子就跑，一直跑到漢河邊。一會兒，張郃也跑來了。黃忠，那可眞如下山之猛虎；夏侯尙、韓浩，那可眞是兵敗如山倒。

夏侯尙、韓浩、張郃商量來商量去，不知道下一步該如何是好。夏侯尙一拍大腿說：「靠！有條活命就已經不錯了，留得青山在還怕沒柴燒？走！咱們去天蕩山，那裡有咱漢中的糧倉，吃不用愁，還有我哥夏侯德帶了十萬兵把守，安全也沒問題。」於是，三人就投奔天蕩山而去。

第 56 回

交換人質

一聲哨響，夏侯尚和陳式展開了一場百米賽跑。陳式跑得快一點，黃忠眼看著陳式跑進了安全區，就瞄準夏侯尚的後心，一箭中的。夏侯淵大怒：「你這人怎麼不講信譽？」

夏侯尙、韓浩、張郃三人到了天蕩山，一杯茶還沒喝完，士兵就來稟報：黃忠前來挑戰。原來，黃忠不知道曹操糧倉所在，跟著夏侯尙等三人就來了。

夏侯德問：「你們三人誰敢去抵擋？」

夏侯尙：「我是你兄弟不能去，我如果被打死了，你會很難受。」

張郃：「我也不能去，第一，我是曹操的紅人，我如果被打死了，曹操會很生氣，後果會很嚴重；第二，我打仗幾乎沒勝過。」

韓浩：「……」想了老半天，也說不出個因爲所以來。

夏侯德：「那小韓就去吧，你們喝了我的茶，總得爲我出點力吧？」

韓浩只得無可奈何地去應戰，走到陣前猛然想出理由來，便自言自語道：「實踐是檢驗真理的唯一標準，我已經被檢驗過了，和夏侯尙兩個人都打不過黃忠，何況我一個人乎？」

黃忠聽了說：「那就再複檢一次吧！」說完手起刀落，韓浩命喪黃泉。

夏侯德正在一邊翹著二郎腿品茶，一邊心裡想得美：今天可賺了，三杯茶就能換來一個人爲我賣命。突然，嚴顏從窗口跳進來，殺了夏侯德一個措手不及。

夏侯尙和張郃冷不防看到夏侯德的人頭在地上骨碌碌直打轉，怎一個怕字了得，急忙抱頭鼠竄。

張郃氣喘吁吁問：「咱們下一個目標是哪？」

夏侯尚氣喘吁吁答：「米倉山，也是糧倉，由我叔叔夏侯淵把守。」

張郃：「跟著你真有福！到哪哪有吃，到哪哪有親威。」

夏侯尚：「我跟著你真晦氣，到哪哪倒楣。」

二人跑到米倉山見夏侯淵，述說天蕩山已失，哥哥夏侯德已爲糧捐軀。

夏侯淵聽了大驚，連忙報告上級曹洪，曹洪立即報告曹操。曹操聽了大怒：「黃忠、嚴顏兩個老玉米有那麼難啃嗎？我去給你們做個示範。」就親自帶了四十萬大軍，浩浩蕩蕩殺奔而去。

不幾天，曹操到了南鄭，曹洪見了就打張郃的小報告，曹操聽了只是哈哈一笑：「勝敗乃兵家常事嘛！」

曹洪：「關鍵是，張郃勝是罕事，敗才是常事。」

曹操生氣：「我就是喜歡他，沒有理由，你說怎麼著？」

曹洪討了個沒趣。曹操問：「夏侯淵那邊怎麼樣？」

曹洪：「他聽說你要來做示範，還沒行動。」

曹操：「給他下令，進攻！進攻！再進攻！」

夏侯淵接到命令正要進攻，張郃說：「黃忠厲害著呢！你只能守，不可攻。」

夏侯淵：「我聽你的，還是聽曹操的？」

張郃：「如果我的意見和曹操的命令不一致的話，聽曹操的。」

夏侯淵問眾將：「各位誰去挑戰黃忠？」

話音落了好大一會，一呼而無一應，最終，夏侯尚站出來說：「打仗親兄弟，上陣叔侄兵，實在沒人去的話，我去。」直感動得夏侯淵眼淚涮涮涮！

夏侯淵對夏侯尚交代：「如此如此，只許敗不許勝。」

夏侯尚：「勝難，敗還不容易。」

夏侯尚前去挑戰，黃忠見不是夏侯淵，便對陳式說：「殺雞怎麼用得著牛刀？你去吧！」

夏侯尚應付了沒幾下子，就裝作打不過敗逃，陳式涉世不深，窮追不捨，結果被伏兵捉了個活的。夏侯尚見開市大吉，就想如法炮製，陰黃忠一把，誰知道還黃忠比陳式厲害多，夏侯尚沒來得及逃就被黃忠捉了個活的，一比一平手。

夏侯淵正要喀嚓了陳式，黃忠打來電話：「請刀下留人！我想和你做筆生意。」

夏侯淵：「你算老幾？我爲什麼要聽你的？」

黃忠：「我現在手上有夏侯尚？你說我老幾？」

夏侯淵一聽馬上軟了下來：「那好吧，交換人質。」

兩方各押著夏侯尚和陳式來到一片開闊地，一聲哨響，夏侯尚和陳式展開了一場百米賽跑。陳式跑得快一點，黃忠眼看著陳式跑進了安全區，就瞄準夏侯尚的後心，一箭中的。

夏侯淵大怒：「你這人怎麼不講信譽？」

黃忠：「信譽値幾個錢？」

夏侯淵正想和黃忠大戰一番，隱隱約約看到山谷中蜀旗飄動，怕中了黃忠的埋伏只得作罷。

第二天，夏侯淵前去挑戰，黃忠不出戰。夏侯淵破口大罵，黃忠還是不出戰；夏侯淵指揮著眾士兵來了個類似合唱的合罵，黃忠還是不出戰。夏侯淵的士兵們合罵到中午正要休息，黃忠突然帶兵如猛虎下山衝了過來，夏侯淵還沒有回過神，已經被黃忠喀嚓做兩半，眾士兵群龍無首，紛紛舉手投降。黃忠乘勢去攻定軍山，張郃知道打不過，溜之大吉。

張郃逃走之後向曹操報告：「我有兩件事需要向你報告，一件是壞事，一件是急事，你想先聽哪一件？」

曹操：「那就先聽壞事吧！」

張郃：「夏侯淵同志不幸爲糧捐軀了。」

曹操聽了大驚：「全體起立爲夏侯淵同志默哀三十分鐘！」

張郃：「省點時間，就默哀三分鐘吧，後面還有急事呢。」

曹操只得說：「OK！」

默哀Over，曹操問：「急事是什麼事？」

張郃：「天蕩山的糧草已經被燒，定軍山現在又丟，米倉山恐怕不保，得趕快把糧草轉移到一個安全的地方。」

曹操聽了說：「對！對！對！這確實是個急事，米倉山的糧草如果再丟了，那整個漢中不保，那你就趕快去辦吧！」

第57回

趙子龍大顯神通

曹軍不清楚趙雲到底有多少兵，於是紛紛逃竄，自相踩踏致死者超多，逃到漢河邊，撲撲通通跳進去溺水而死者又無數。曹操自嘆：「唉！今天最殘！」

放下張郃如何準備搬糧工具不提，再說黃忠咯嚓夏侯淵，奪了定軍山後找劉備請功，劉備則封了黃忠一個征西大將軍，黃忠忒興奮。

諸葛亮說：「曹操帶二十萬大軍來，他天蕩山的糧草已經被黃忠燒了，如果有人誰能把曹操僅剩的米倉山的糧草也燒了，那功勞可是遠勝咯嚓夏侯淵十倍！」

黃忠聽了連忙說：「我燒過，縱火我最有經驗，還讓我去吧！」

趙雲在一旁聽了連說：「這麼大的一個功不能讓你一人全承包了吧？你也得給我分一杯羹。」

張著聽了也舉手說：「有這等好事，也不能少了我，同去！同去！」

劉備見了心裡很爽：「那，你們三人全都去吧！誰燒了米倉山的糧草，功勞就是誰的！」

黃忠、趙雲、張著三人來到米倉山山腳下爭著要去，趙雲說：「哪咱出剪刀、石頭、布，誰勝了誰先去。」

黃忠：「OK！」

趙雲想：以黃忠的性格，鐵定愛出石頭，我得以柔克剛出布。張著喊：「一、二、三！」黃忠意外出了剪刀。黃忠勝，張著也要跟著去，黃忠：「靠！我勝了你怎麼也跟沾光？」

張著解釋說：「我一個哪能打得過張郃？我幫你打，勝了三七開？」

黃忠想了想也是，添個蛤蟆還多四兩力呢，就說：「二八開！」

張著不假思索：「OK！」

黃忠和張著領著士兵走了一陣子又回來了，趙雲大喜：「不敢去了？」

黃忠：「不是，我是想萬一中午十二點我回不來，你就去接應，燒得了米倉山我分你一半功勞，如果你救了我的命，我請你喝酒。」

趙雲說：「OK！你多保重！」

話說黃忠和張著領著士兵來到米倉山，把守的士兵早聽說過黃忠的威名，見旗上飄揚是是「黃忠」二字，紛紛嚇得抱頭鼠竄，張著也狐假虎威得趾高氣揚。黃忠和張著的士兵們正在糧草堆上放了柴草澆了汽油，一齊倒數：「九、八、七、六、五、四、三、二……」

黃忠還沒來得及喊「點火」，張郃領兵趕到，於是，二人乒乒乓乓就打了起來。張郃正要招架不住，徐晃領兵趕到，把黃忠圍了個密不透風，張著見了，帶了三百多人望風而逃。

再說趙雲在山下左等右，等不見山上著火，也不見黃忠和張著回來，便知道事情不妙，就領著剩下的士兵衝了上去。

衝到半道被慕容烈截了下來，趙雲技高一籌，只一槍便正中慕容烈要害。衝了一段，又被焦炳截了下來，趙雲問：「我們黃忠的兵在哪？」

焦炳：「靠！你以爲我是路邊可以免費問路的老頭、老太太？」

趙雲大怒：「靠！那你留在世上還有什麼用處？」又一槍刺死了焦炳。

再向前走，終於看到張郃、徐晃圍著黃忠正嘩嘩啦啦打得過癮，趙雲大喝一聲「常山趙子龍來了」，衝了過去。

張郃、徐晃一聽趙雲來了，知道趙雲更生猛，就知難而退不敢應戰。趙雲救出了黃忠往山下趕。

走到半道，黃忠說：「對了，糧草還沒來得及燒呢！」

趙雲：「士兵們都跑了，沒人數倒數，點了也不過癮，明天再來吧！」

黃忠嘆息：「哎！可惜了我的幾桶汽油。」

曹操在遠處山頭用望遠鏡看了，打手機問徐晃：「爲什麼不打了？」

徐晃：「趙雲太牛逼了，想打怕打不過。」

曹操大怒：「傳我的命令，全體官兵！一齊去打趙雲！」

徐晃只得傳令，眾官兵只得硬著頭皮去追，追得近到能看到趙雲了，又都嚇得四散而逃。曹操大怒，要親自來督戰。

曹操來到趙雲寨前時，已經將近黃昏，看到趙雲一個人站在寨門前，曹操大吼一聲：「上！」

只聽得從四面八方「嗖！嗖！嗖！」往曹軍放冷箭，趙雲仍巋然不動。曹操心想：話說知己知彼，百戰不殆，我現在是知己而不知彼，於是下令：「撤！」

誰知道趙雲聽了，反倒牛著擂起鼓進攻，曹軍不清楚趙雲到底有多少兵，於是紛紛逃竄，自相踩踏致死者超多，逃到漢河邊，也不清楚漢河究竟有多深，撲撲通通跳進去溺水而死者又無數。

曹操自嘆：「唉！今天最殘！」

趙雲、黃忠、張著在遠處聽了，齊聲說道：「沒有最殘，只有更殘！」說帶兵追殺過來。

曹操見狀連忙帶兵往米倉山逃，還沒到，遠遠就看見米倉山方向火光沖天，原來米倉山已經被劉封、孟達領兵放火燒了。曹操還想嘆，但沒敢嘆，怕又引來趙雲追殺，帶兵連夜逃向南鄭而去。

劉軍得勝，趙雲向劉備請功：「你也封我一個征西大將軍吧！」

劉備：「征西大將軍已經被黃忠占了版權，我就封你個虎威將軍吧！」

趙雲聽了也很高興：「這名稱聽著也蠻不錯嘛！」

第二天，曹操越想越窩囊，便派徐晃前去報仇，王平進言：「老大！我對這一片熟，讓我也去吧！」

曹操：「ＯＫ！」

徐晃、王平帶著兵來到漢河，徐晃命士兵：「游水過河！」

王平聽了說：「不可！不會游的怎麼辦？」

徐晃令：「坐船過河！」

王平又說：「不可！沒船。」

徐晃又令：「飛過去！」

王平：「不可！沒翅膀。」

徐晃再令：「搭浮橋過河！」

王平：「不可！這麼窄的橋，萬一需要急退怎麼整？」

徐晃氣憤：「切！曹操是讓你來幫我呢，還是讓你來堵我呢？」

徐晃不聽王平的阻勸，搭了浮橋過了河，領兵來到劉軍寨前挑戰。劉軍無人出戰，徐晃給每個士兵發了盒喉糖，眾士兵喊破了嗓子，劉軍還是置之不理，徐晃覺得很丟面子，眼看太陽公公也快要回西山老窩了，就下令：「撤！」

正在眾將士來到河邊爭著要上浮橋過河，黃忠和趙雲各領人馬殺奔而來，曹軍被喀嚓、自相踩踏、溺水而死者如何能數得過來？只能說N多吧。

徐晃領著敗軍過了河，看到王平操著兩袖晃著膀子站在那看笑話，大怒：「黃忠和趙雲來打我，你爲什麼見死不救？」

王平：「就一架浮橋，你從橋上退，我如果從橋上進，那不更給你添堵？我早給你說過不要過河打……」

徐晃抓狂了：「閉嘴！再說我喀嚓了你！」

王平只好悄無聲息。晚上，王平心想，徐晃這傢伙心眼這麼小，看來自己早晚要被徐晃殺了。王平計議已定，令士兵放火燒了曹營，帶著自己的人馬從浮橋上過去投奔趙雲了。

徐晃正睡得美，夢見自己和士兵們圍在火邊吃烤全羊，睜開眼看果真到處都是火，左右尋覓只不見羊，大吃一驚，提了褲子往外就跑。

第 58 回

雞肋要了楊修小命

眾人都誇楊修聰明，於是都收拾行裝。曹操大驚，心想這楊修怎麼正搔到我的痛處呢？下令：「楊修擾亂軍心，抓起來喀嚓了！」

徐晃報知曹操，曹操大怒，親自提領大軍來打。

和徐晃一樣，不管曹操怎麼叫陣，趙雲等人就是不出戰。到了晚上，曹軍剛闔上眼，劉軍鼓號齊鳴、炮聲震天，曹軍以爲劉軍來劫寨，連忙提了褲子出去應戰，劉軍又悄不作聲。

曹軍仔細查看，並不見劉軍有劫寨的任何跡象，就又哈欠連天脫了褲子睡覺去了。曹軍剛要闔眼，劉軍又炮鼓齊響，曹軍只得又起來應戰。如此反覆，整得曹軍一宿未眠。

白天，曹軍再去挑戰，劉軍仍不應戰，晚上，劉軍再騷擾曹軍。

曹操明白這叫「我駐敵擾」，如此反覆了三天三夜，曹軍哪裡受得了？只得退了三十里紮寨。

不久，曹操的間諜探得劉備過了河，在河邊下了寨，曹操心想，這可是個千載難逢的好機會，就又回頭來打劉備。劉軍見了扭頭就跑，邊跑邊扔隨身物品，曹軍見了便紛紛撿，曹操直覺，這必然又是諸葛亮的什麼鬼主意，便令撤軍。

誰知道諸葛亮見曹軍撤就令劉軍追。曹操想，你諸葛亮又跟我玩「我進敵退，我退敵打」呢，你丫挺厲害！我整不過你，還跑不過你？便令軍撤向南鄭。

眾人退到南鄭抬眼一看，靠！旗桿的旗怎麼不是「曹」而是「張」字？難道是張藝謀來拍電影了？

一打聽，原來已經被張飛占領多時了。曹操鬱悶，只得再退守陽平關。

曹操剛過了幾天太平日子，陽平關的大師傅又過來說：「老大！油鹽醬醋米麵酒肉柴全不多了，你說怎麼辦？」

曹操：「那就上市集買唄！」

大師傅為難：「聽說現在攔路搶劫的賊多，你得派個厲害的主押陣才行！」

曹操：「厲害的主？咱們這裡面許褚最厲害了，那就讓他去吧！」

於是，許褚帶著眾人去趕集，去的時候一路無話，回來的路上，眾人餓了就拿出肉啃，拿出酒喝，許褚見了，心想反正是公家的，不吃白不吃，不喝白不喝，便跟著吃喝了一通。

Over，眾人再趕路，許褚只覺得腳下不穩，便問：「是不是要地震？我怎麼看所有的東東都有點晃？」

眾人聽了哈哈大笑。正在這時，前面的樹林裡一通鑼鼓響。眾人都驚，有人問：

「該不是遇上強盜了吧？」

又有人說：「你就不會樂觀一點往好處想？你就不會想像一下前面是有人要娶新娘？再說了，咱們有許將軍押陣呢，怕個鳥？」

於是，眾人又硬著頭皮往前趕。沒走幾步，張飛從草叢裡蹦出來說：「此山是我開，此樹是我栽，要從此路過，留下買路錢！」

許褚一看是張飛，便問：「靠！鬍鬚張，你有產權證明嗎？」

張飛：「少囉嗦！拿錢來！」

許褚：「真不好意思！錢都買食品了，你看該怎麼辦呢？」

張飛：「那就把食品全留下！」

「你等會，我們討論一下。」許褚轉頭和眾人商量：「當公家的東東和自己的生命只能選其一的話，大家會選哪一個？」

眾人異口同聲回答：「生命！」

許褚：「對！很好！東東誠寶貴，生命無價寶……」

有人提出異議：「要你幹嘛？你就不會和張飛打嗎？」

許褚：「我今天不是喝高了嗎？自我感覺勝算的把握不大，與其生命和東東全丟了，不如先保生命，留得青山在，不怕沒柴燒嘛！」

眾人齊說：「英明！」

許褚：「那還楞著幹什麼？還不扔下東西快跑！」

眾人聽了四散逃竄，許褚邊跑邊朝跑錯方向的人喊：「瞎跑你個頭啊！陽平關在這邊！」於是，所有的東東全被張飛擄走。

晚上，大師傅給曹操端來一碗雞湯，曹操攪了攪發現全是骨頭，挾住一根雞肋咬了半天也沒有咬下多少肉來。

曹操生氣了，喝問：「怎麼你們吃肉，就讓我啃骨頭呢？」

大師傅委屈：「你講不講理啊？我們全餓著肚子呢！就你吃的這些骨頭，也是從狗嘴裡奪過來的！」

曹操不解：「今天不是派許褚等人趕集去了？還沒回來？」

大師傅答道：「據說，許褚等人趕集回來的路上，遇到了強盜張飛，許褚等眾人經過浴血奮戰，終於，人一個不少全回來了，只是……採購的東東不幸全被張飛等人搶走。」

曹操一邊咬著雞肋一邊想：這沒有吃的，怎麼能打仗？正在這時，夏侯惇進來請示夜間口令，曹操隨口說：「雞肋！」

口令傳到楊修那裡，楊修顯擺說：「雞肋！雞肋！食之無味，棄之可惜，看來明天要撤兵。」

眾人都誇楊修聰明，於是都收拾行裝。曹操因為晚飯沒吃飽，加上心裡鬱悶，夜裡翻來覆去睡不著，就起來到外面看天上的星星，突然聽到營中鬧吵吵的，就走上前問：「幹嘛呢？你們這是幹嘛呢？」

眾人說：「聽楊修說明天要撤軍，於是提早做準備。」

曹操大驚，心想：打吧，士兵們沒吃的打不了，撤吧，又太沒面子，這楊修怎麼正搔到我的痛處呢？於是下令：「楊修擾亂軍心，抓起來喀嚓了！明天除了進攻，還是進攻！」

第二天，曹軍餓著肚子打仗，後果可想而知，戰死、投降者不計其數，除了敗就是大敗，曹操後悔沒有聽楊修撤兵，腸子悔青了又有什麼用呢？還是撤兵吧先。

第59回

孫權準備來硬的

曹操派滿寵去東吳，孫權聽得連連點頭，滿寵走後，諸葛瑾說：「咱先給守荊州的關羽來個軟的，如果他不吃，咱就給他來硬的。」

劉備得了漢中，眾人就吵吵嚷嚷要劉備當皇帝，以便自己也升個大臣呀什麼的名銜過過癮。劉備說：「才得了這巴掌大地方就稱皇帝，說得我都臉紅了。」

劉備用巴掌試了試臉，果然發燙。

諸葛亮建議：「那就折衷一下，先當個漢中王吧？」

劉備：「我聽大家的，那就舉手表決吧！」

眾人紛紛舉雙手贊成，還有人脫了鞋把腳丫子都舉起來，於是，劉備稱了漢中王，然後又把各官員一一升了官，發了賞。完事，劉備才想起來：「這哪有自封自漢中王的？咱們總得尊重一下皇帝，得找個用辭跩的寫個申請，走走過場，讓皇上批一下，這才叫名正言順嘛！」

劉備的申請傳到了許昌皇帝那兒，曹操得知後大罵：「靠！現在這什麼世道？一個賣破草鞋的都要稱王？我過兩天非派大兵幹死你不可！」

司馬懿說：「不可！咱們也不是沒打過，確實沒打贏過，靠！說得我都暈了，一個字，咱們幹不過。」

曹操瞪圓了兩眼：「靠！你會不會算術？『咱們幹不過』是五個字！打人別打臉，揭人別揭人短嘛！我過過嘴癮還不行？」

司馬懿：「孫權不是把妹妹嫁給劉備，又騙回去了嗎？再加上劉備占著孫權的荊州不還，咱們要是派個能把大便說成黃金的人在旁邊搧那麼點小風，離間那麼一小下，這不就……」

曹操聽了樂不可支，「Oh，my god！你ＩＱ也太高了，一級棒！」

於是，曹操派曾得過大學辯論賽冠軍的滿寵去東吳。

滿寵見了孫權就說：「吳、魏本來沒有仇，都怨愛搬弄是非的劉備讓咱兩家鬧了矛盾。現在，我家曹操看到你家的荊州被劉備霸占不還，很是看不慣，要派兵幫你收復荊州，不知道你是同意還是意同？」

孫權只聽得連連點頭，「這樣吧，你先回去，我們商量商量。」

滿寵走後，諸葛瑾說：「咱先給守荊州的關羽來個軟的，如果他不吃，咱就給他來硬的。」

孫權問：「詳細說說看，軟的怎麼來？硬的怎麼整？」

諸葛瑾：「我聽說關羽有個女兒，你不是有個兒子……」

孫權：「打住！那可是我兒子，咱倆親歸親，兒子得分。」

諸葛瑾：「反正就是那麼個意思，他如果同意結為兒女親家，咱們就考慮和他合起夥來搞曹操，他如果不同意，那咱們就和曹操聯合起來整關羽。」

孫權：「也就是說，不管怎樣，士兵們都得打？」

諸葛瑾：「閒著也得一天三頓飯，養兵千日不就是爲了尋釁滋事？」

孫權想了想說：「不錯，不錯，那就ＯＫ吧！我說不方便，你給他打吧！」

諸葛瑾摸出手機，撥了關羽的電話：「喂！關老弟吧！我現在想給你和孫權撮合件好事，不知道你同意不同意？」

關羽：「同意！同意！孫權是不是還有一個妹妹要嫁給我？」

諸葛瑾：「他有個兒子想娶你的女兒。」

關羽：「這呀？那不行，我家的寶貝女兒可不嫁他豬頭兒子。」

諸葛瑾：「好事好商量嘛，我家還想和你聯合打……」

關羽：「沒有什麼可商量的，電話費賊貴，不和你磨牙了，掛了！」

諸葛瑾兩手一攤說：「軟的不吃，那就來硬的吧！」

孫權接過手機，撥給曹操：「曹兄！我們經過討論，最後一致通過，就按你說的，幹吧！」

曹操：「ＯＫ！」

話說劉備自從當了漢中王後，就在成都大造宮殿，情報部門截獲了孫權和曹操的通話信息，馬上報告劉備。劉備不耐煩地說：「我現在只對建宮殿感興趣，其他一概不感興趣。」

情報人員：「如果地盤被曹操和孫權占了，咱就建不了宮殿了，你也就當不了漢中王了！」

劉備：「它們之間有關係嗎？」

情報人員生氣了：「老大，我看你是當漢中王當昏了頭吧？我替你拍一下腦門，你好好想一想！」

情報人員說著就狠拍了劉備腦門一下。劉備一激靈：「噢！我明白了，他倆如果占了我的地盤，我也就只能建空中樓閣了……」

情報人員又「啪」地拍了劉備腦門一下，「空中樓閣怎麼建？」

劉備恍然大悟：「也就是說曹操和孫權合起夥來欺負咱們？」

情報人員：「對頭！」

劉備：「他奶奶的！那怎麼辦？」

情報人員：「你如果真不懂的話，就不要裝懂貽誤戰機，快去問諸葛亮吧！」

於是，劉備召來了諸葛亮，還沒等劉備開口，諸葛亮就說：「我這幾天晝觀日夜觀星，早看出來曹兵駐紮在襄陽、樊城，孫權要看曹兵的結果決定是否攻打荊州。所以，咱們要派關羽集中優勢兵力到襄陽、樊城痛打曹兵。曹兵敗了，孫兵自然也就不敢輕舉妄動了。」

劉備看諸葛亮早有心理準備，放下半條心，但還是問：「你怎麼不早說呢？」

諸葛亮：「你請我來我再說，不是顯得更有面子？再說，也不用急，不就是一個電話就完事了？」於是，諸葛亮摸出手機撥了關羽的電話，如此如此吩咐，然後又對劉備說：「完事了，工人們繼續建宮殿，你繼續當你的漢中王。」

眾人聽了鼓掌叫好。

第 60 回

關羽水淹七軍

這晚，果然傾盆大雨從天而降，關羽又派人決了襄江的堤壩，霎時，曹部的七軍被淹死的數都數不過來，眼看著水越漲越深，眾人紛紛大喊「救命」。

放下劉備，再說關羽這頭。關羽很有效率，立刻派關平、廖化領大兵先打襄陽。果然，曹仁不堪一擊，兵敗如山倒，關羽很快拿下了襄陽。

曹仁退守樊城，打電話給曹操搬救兵。

曹操聽了大吃一驚，問左右：「誰能去幫曹仁一把？」

于禁站出來說：「我能！」

曹操：「OK！那我就封你個征南將軍！」

于禁聽了喜孜孜的。龐德見了眼熱，也站出來說：「他能，我也能！」

曹操：「好！那我也封你個征西都先鋒！」

龐德聽了也屁顛屁顛的。于禁嫉妒地說：「老大！你真是聰明一世糊塗一時，他龐德怎麼能當征西都先鋒呢？」

曹操：「Why？」

于禁：「龐德原先的老大馬超現在是劉備的五虎上將，他的親哥哥龐柔也在西川當官，你讓他當征西都先鋒，他下得了手嗎？」

曹操聽得連連點頭，末了對龐德說：「阿德，對不起啊！我還是把征西都先鋒安排給別人吧！」

龐德熬了這麼多年才有機會當個都先鋒，煮熟的鴨子哪裡捨得再丟了？於是「撲通」一聲，跪在曹操面前不住的磕頭，「嗚嗚嗚，是啊！馬超都當了五虎上將，我哥也當了官，我好不容易才有這個機會，就是讓我親手把馬超和我親哥喀嚓了，或者他們把我喀嚓了，我也在所不惜！嗚嗚嗚，求求你讓我過一次癮吧！」

龐德繼續不停地給曹操磕頭，直把頭磕出血來，曹操還是猶豫不決。

龐德見這招不奏效，決定使狠招，拿出手機撥了個電話說：「棺材鋪吧！我是龐德，你給我做口棺材。」

棺材訂妥當之後，龐德又對曹操說：「我要帶著棺材去和關羽決一死戰！無非有三種結果：一、我把關羽喀嚓了，用這棺材裝上關羽回來獻給你；二、關羽把我喀嚓了，讓手下用這棺材把我裝上；三、要是誰也沒有喀嚓誰，我跳進棺材裡，自己喀嚓自己。」

眾人聽了都大吃一驚，曹操見龐德有這麼大的決心，連忙把他扶起來說：「好吧！征西都先鋒就是你了！」

龐德聽了這才破涕爲笑。謀士賈詡說：「你勇氣可嘉，但是關羽智勇雙全，千萬大意不得！」

龐德：「軟的怕硬的，硬的怕橫的，橫的怕不要命的。我死都不怕了，還怕他個關羽不成？」

於是，于禁和龐德領了七軍來PK關羽。關羽見陣前有口棺材，知道龐德玩命來了，要和自己決一死戰。傻瓜才和不要命的玩命，就派關平先去應戰。關平和龐德PK了三十回合不分勝負，關羽見龐德的力氣消耗得差不多了，就把青龍大刀拿在手裡一晃大喊：「Stop！本方要求換人，兒子關平下，老子關羽上。」

於是，關羽又乒乒乓乓和龐德PK了起來，直到天黑，兩人打了一百多回合不分勝負，曹劉二軍大呼過癮，紛紛要求加賽。

第二天加賽，關羽和龐德什麼話也不說，上來就開打了起來，打到六十多回合，龐德偷襲成功，關羽被箭射中左臂。龐德舉起刀正要喀嚓了關羽，于禁見龐德就要立功，連忙鳴金收兵。

龐德不解，回來問于禁：「Why？」

于禁想了老半天才想出藉口：「關羽智勇雙全，我怕你被他暗算了。」

龐德聽了很生氣：「靠！我一刀就讓他嗚呼哀哉了，他還能暗算誰？」回頭再看關羽，已經被關平救走了，氣得差點吐血。

第三天，龐德前去挑戰，劉軍見關羽都打不過，沒人敢應戰。第四天，還是沒有人應戰……

第N天，劉軍仍無人敢來應戰。龐德就找于禁商量：「看來，關羽被我一箭傷得不輕，咱們不如趁機讓七軍一擁而上，幹了他丫的！」

于禁怕龐德立功壓了自己的威風，不但不進兵，反而退後十幾里，讓龐德部駐在谷裡，自己部隊把守谷裡的唯一出口，自己不出兵，也不讓龐德出兵。

再說關羽拔了箭，敷了金創藥後，箭傷好得很快。這天，關羽問左右：「龐德呢？曹軍呢？」

左右就報告說：「全駐進北邊十幾里的山谷裡去了。」

關羽：「發現曹軍有什麼陰謀詭計了嗎？」

左右：「那就不得而知了，具體你得去問于禁。」

「靠！」關羽罵了一聲，自己帶人到曹軍駐地，在遠處用望遠鏡察看，然後又到襄江的堤壩處察看。

又過了幾天，天氣預報說夜裡有特大暴雨，關羽聽了一拍大腿說：「有了！」

左右問：「什麼有了？」

關羽：「捉于禁的法子有了。」又吩咐左右：「連夜多造幾艘船，明天得用。」

左右：「咱們這又沒海又沒河的，造什麼船呢？」

關羽：「多舌！掌嘴！」

左右意思意思掌了兩下，關羽交代：「不用多問了，船造出來自有妙用。」

這晚，果然傾盆大雨從天而降，關羽又派人決了襄江的堤壩，霎時，曹軍所駐的谷裡全是水，曹部的七軍被淹死的數都數不過來，只有手腳麻利上得樹的才暫時撿條性命。眼看著水越漲越深，眾人紛紛大喊「救命」，但在這荒谷野外的，又有大水，哪有活著的閒人在這專等著救人呢？

直到天完全放亮，正在眾人絕望之際，有眼尖的看見遠方影影綽綽好像有一群船划過來，眾人從絕望中看到了一絲希望。等船越來越近了，看到船上的旗上都有個大大的「關」字，看來是關羽斬草除根來了，於是眾人又從希望重新回到絕望。

關羽帶著船隊來到于禁所在的樹下，問自己的士兵：「這棵樹上現在有九個人，如果我用箭射下來一個，樹上還剩幾個？」

有人掰著指頭數完後答：「九減一等於八。」

馬上又有人搶著答：「這個我知道，射下來一隻，那八個全飛跑了。」

眾士兵哄堂大笑，有一個說：「靠！你以為他們是有翅膀的鳥？按我說，實踐是檢驗答案的唯一標準，關老大一試不就知道了。」

關羽點頭稱是，便拿出弓，搭上箭對著樹上的九個人一個一個瞄，瞄到之人都膽顫心驚，關羽一撒右手，隨著「啊——撲通」的兩聲，樹上一個士兵應聲中箭落水，浪花濺得老高，血染紅了那士兵周圍的一片水，那士兵掙扎了N下不動了，然後隨著水流漂啊漂的流走了。

關羽又問自己的士兵：「八減一等於幾？」

有了上次的實踐，眾士兵們齊答：「七。」

關羽：「不對，應該是零。」

於是，關羽又瞄了一遍，射下來一個漂走了，樹上的七個人徹底崩潰抓狂。這時候聽到一陣「嘩啦啦」的聲音，仔細一看，于禁嚇尿了。

于禁：「I服了U，不玩了，我認輸。」

關羽問其他六個人：「你們都跟他一樣棄權了嗎？」

那六個士兵紛紛都說：「棄權！」於是，于禁七個人成了俘虜，周圍幾棵樹上的士兵見于禁帶頭認輸了，也就都棄權做了俘虜。

關羽又領著船隊來到龐德所在的樹下準備拷貝一番，誰知道龐德不吃這一壺，見機跳上一隻船，然後乒乒乓乓喀嚓了船上的十幾個人。

龐德正要一個人駕船Bye-bye，結果被關羽的船隊撞翻落入水中。龐德是個旱鴨子，撲騰了幾下就被水鴨子周倉逮上了船。關羽問：「U服I嗎？」

龐德從口中吐了幾口水，其中一口水裡還有隻活蹦亂跳的小魚。只見龐德伸著脖子說：「寧死不服。」

於是，關羽提起青龍大刀成全了龐德。

第 61 回

吳下阿蒙計陷荊州

關羽本來對呂蒙正放心不下，聽説蛋白質陸遜頂了，把荊州的大量兵力調往樊城。呂蒙得知荊州空虛了，就派了八十船兵浩浩蕩蕩向荊州進發。

關羽淹了曹操的七軍後乘勝又來打樊城。關羽朝城上喊：「我把你們七軍都幹掉了，你們這這些二百五還不快快投降？」

曹仁：「你也太牛逼了吧？我讓你下輩子投胎變刺蝟。」

曹仁一揮手，五百士兵齊放箭，結果只有一枝很榮幸地射中關羽的右臂。關羽「啊」的一聲掉落馬下。

曹仁小聲地埋怨士兵：「不要老是上網聊天、玩遊戲什麼的！回頭好好練練箭法！」然後又衝關羽哈哈大笑：「箭上可是有毒的啊！真不好意思，讓你破費請華佗出山了，哈哈哈哈……」

關羽回到寨中讓軍醫看，軍醫看了果然不知所措，建議趕快請華佗。關羽一狠心一咬牙一跺腳，只得同意破費。

華佗看了傷情後說：「毒已經侵入骨頭了，對一般郎中來說，你已經不治了，但像我這種一級棒的郎中來說，這只是小菜一碟。」

關羽不無擔心地說：「你該不會是要拿狗骨頭換我這人骨頭吧？」

華佗：「不用！不用！只要用我這尖刀把你骨頭上的毒刮去就OK了。」

關羽又擔心：「那得多疼呀？」

華佗：「不用怕，我有麻沸散。」

關羽轉頭對身邊的馬良說：「就算有麻沸散，我也怕疼，這樣吧，你和我下棋分分心！」

馬良：「不想和你玩，你棋太臭！」

關羽：「我現在正要治病，你不會讓讓我啊！等治完了，我請你吃飯行不？」

馬良：「唉！爲了一頓飯，我捨了老命陪君子了！」

於是關羽喝了麻沸散，馬良擺了棋盤，華佗拿刀正要動手，關羽又說：「你這刀也太嚇人了，讓我喝杯酒壯壯膽行不？」

華佗：「OK！」

關羽仰脖喝完後，華佗正想動手，關羽又說：「我能不能吃點肉？」

華佗：「OK！」

於是，關羽一邊吃肉一邊喝酒，不一會兒醉倒在棋盤上，華佗喊了老半天也沒喊醒，就不再喊，動起手來。

等關羽醒來，華佗早領了醫療費閃了老半天了。

放下關羽如何養傷不說，再說曹操在許昌聽說關羽幹掉了自己的七軍後大爲震驚，就和眾謀士們商議：「關羽如此的厲害，他所駐的荊州離許昌又如此的近，咱們不如把都城搬到離荊州遠一點的地方去。」

司馬懿舉手反對，獻言說：「不可！逃避不是辦法，咱們打不過，不會想辦法讓孫權去打？」

曹操一拍大腿說：「對呀！」就撥了孫權的電話：「靠！老孫，不是說好我幫你打劉備？我都損失了七軍，你倒好，坐山觀虎鬥呢！」

孫權敷衍：「那……讓我們商量商量吧！」

孫權放了電話，對眾人說：「靠！曹操的七軍都打不過一個關羽，咱如何敢惹得起這紅臉的？」

呂蒙站出來說：「現在關羽的大軍都在樊城，荊州正空虛，咱們乘虛而入，不就OK了？」

孫權：「你這個吳下阿蒙，說著簡單，你去試試？」

呂蒙不服氣：「試就試，我一定讓你刮目相看。」

呂蒙造完兩句成語，便領了兵到陸口。只見關羽的士兵紀律嚴整，每隔一段距離都有個烽火台。看來關羽是做足了準備，呂蒙想想自己誇下的海口，腸子都悔青了，這打又打不過，退又沒面子，只得靈機一動向孫權請了個病假。

陸遜聽說之後，前來見呂蒙：「靠！誰不知道你是看關羽早有準備，怕打不過，沒病裝病？」

呂蒙不好意思地笑笑：「那你說怎麼辦？我還不至於傻蛋到和他硬拼吧？」

陸遜：「我有一計，你看行不行？」

呂蒙一聽有門，忙道：「快說！快說！」

陸遜如此這般說了，呂蒙直聽得心花怒放。

陸遜給關羽打電話，裝出很自豪的口氣說：「本來孫權讓呂蒙把守陸口，誰知道呂蒙得了愛滋病快死了，孫權讓我頂他，現在我就是陸口的一把手了。」

關羽本來對陸口的呂蒙正放心不下，聽說蛋白質陸遜頂了，心下高興，但口上還是說：「恭喜你啊！你準備怎麼來收拾我呢？」

陸遜答道：「關將軍的英名誰人不曉？據說連外星人都知道！曹操的七軍都被你整沒了，我就是有那賊心也沒那賊膽，只要我在這陸口當政一天，陸口就不會對你關將軍有非分之想。」

關羽聽了放下心來，把荊州的大量兵力調往樊城，只等自己的箭傷好後和曹仁PK一死活。

呂蒙從臥底那裡得知荊州空虛了，就派了八十船兵浩浩蕩蕩——不對，偷偷摸摸向荊州進發。荊州守烽火台的士兵問：「幹什麼的活？」

孫軍之中有人出來陪笑說：「我們都是別人稱之爲奸商的那種人，你看這是桿秤，這是算盤。」

守兵鄙視：「靠！都什麼年代了？人家早都用計算機和電子秤了，你們還用這老古董？」

假奸商：「大人有所不知，這種東東更便於作弊呀！」

守兵：「噢！果然是奸商，我說奸商，此江是我開，此水……好像有點牽強噢？對了，靠山吃山，靠水吃水，你們從我們這一畝三分水裡過，就沒有點孝敬的東東什麼的？」

假奸商兩手一攤，無奈地說：「那你們就上船挑吧！有喜歡的儘管拿！」

守兵們一看不拿白不拿，拿了也是白拿，便紛紛放下手中的武器屁顛屁顛上船挑。只聽呂蒙一聲斷喝：「給我拿下！」於是，幾個守兵全被拿下。

如此這般，所有烽火台的守軍全被拿下。呂蒙把守軍集合起來訓話：「你們是想死還是想活？」

守軍齊答：「廢話！當然想活！」

呂蒙：「想活的話，趕快放下屠刀立地成佛！」

有守軍說道：「長官！我們的武器早被你們沒收了！」

呂蒙一拍腦門：「靠！我把這茬給忘了，這樣，想活的話趕快棄暗投明，跟著誰幹不是幹？跟了我們，一天三頓飯不少吃，獎金不少拿，願意的舉手！」

切！誰想死，「呼啦」一下全都舉了手。呂蒙：「那還楞著幹什麼？還不趕快拿起屠刀殺奔荊州？」

於是，原守軍在前，孫軍在後，殺向荊州。到荊州時已經是播晚間新聞的時候了，把守荊州的士兵用探照燈一照，認得是自己人，也就不搭話，直按把門打開了。孫軍一擁而上PK了起來，最終沒費多大勁就把荊州拿了下來。

呂蒙下令，荊州原班人馬，本來幹嘛的就幹嘛，不咯嚓一人，也不降、撤職一人，就這樣，荊州的原關羽人心安理得地爲呂蒙效勞起來。

聽到呂蒙來電報告說夢寐以求的荊州終於到手了，孫權高興得手舞足蹈，便親自到荊州視察。到了荊州孫權拍著呂蒙的肩說：「阿蒙，你真有兩下子嘛！沒死多少人就拿下了以前想拿而拿不下的荊州。」

虞翻在一邊聽了不服氣：「靠！這有什麼呀！我可以不費一兵一卒，只一通電話拿下公安、南郡兩地。」

孫權：「吹牛逼可不是你小虞的風格啊！」

第 62 回

骨牌效應

徐晃奪了偃城，曹操自領大軍來打樊城，關羽帶著眾人向襄陽逃去。半道，臥底來報：荊州被孫權占了，公安的傅士仁已經投降東吳了，南郡的糜芳投降了東吳……

虞翻見孫權不信，便當面拿出手機，撥了公安守將傅士仁的電話：「小傅吧！我是老虞。」

傅士仁：「是！聽說你小子在孫權那混得不錯。」

本來虞翻混得很一般，但爲了勾引傅士仁上鉤也只得打腫臉充胖子了，「那是，我們孫老大出手很大方的，不像你家劉備那麼小氣。再說了，現在我們大軍壓境，就你那們那幾個守軍能守幾天？公安丟了，劉備還能饒得了你？關羽還能饒得了你？你不如棄暗投……」

傅士仁：「我明白你的意思，你容我想想啊。」

七．三秒鐘之後，傅士仁說：「那好吧！不過，我擔心孫權會虧待我！」

虞翻用眼示意孫權，孫權心領神會接過手機：「小傅啊！我是孫權，你就放一百個心吧！你的待遇絕對不會低於虞翻的。」

傅士仁這傻蛋有所不知，他現在的待遇就比虞翻高很多，喜孜孜地說：「那好吧！你們來吧！」

孫權掛完電話，「耶」了一聲。其他人見孫權「耶」，不太清楚發生了什麼事，但肯定是好事，就也紛紛跟屁很「耶」了一番。

「耶」完，孫權見虞翻鬱悶，就拍拍虞翻的肩安慰他說：「你放心，事成之後我不會虧待你的。」然後，孫權帶兵把公安占爲己有。

考慮到骨牌效應，孫權就把傅士仁的待遇定得挺高，傅士仁一聽還不錯，就又說服了糜芳，於是，南郡也成孫權的囊中之物了。

曹操聽說孫權得了荊州、公安、南郡，頗爲眼紅，便督促徐晃加緊進攻，如不進攻，就停職反省。

徐晃見曹老大生自己的氣，只得打起精神和關羽玩命。

徐晃如此這般吩咐徐商和呂建後，徐商先前去偃城找關羽的兒子關平PK。只打了三回合，徐商扭頭就跑，關平追了一陣便不想追了。

呂建見機去PK，打了五六回合又扭頭就跑，關平大怒：「哪裡逃！」一口氣追了二十多里，楞沒追上。

回頭再看，關平大吃一驚，老遠就看見偃城冒起的濃煙，正想回救偃城，路邊又蹦出來個徐晃。徐晃喊：「乖侄子！你老爸的地盤荊州、公安、南郡都被孫權占領了，你還有心情在這跑馬拉松？」

關平：「噢！我明白了，謠言都是你們這種人傳開的。」

徐晃：「靠！你家的地盤關我屁事，信不信由你。」

關平半信半疑，見偃城丟了，不敢再和徐晃PK，領著殘兵敗將直奔四冢。

剛到，廖化就問關平：「聽說荊州丟了？」

關平：「靠！這謠言傳得還真快，你千萬別信！」

廖化：「OK！不但我不信，我還要開個大會，讓四冢的兄弟們都別信！」

關平：「先放下謠言不說，咱們得商量著今晚去劫徐晃的寨。」

廖化：「OK！我分一半兵，你去劫，我率另一半在這守著四冢。」

關平心想：靠！這廖化真滑頭，但也沒有別的更好的辦法。

這夜，天黑得伸手只看得見兩三指，關平領著兵偷偷摸摸來到徐晃寨前，結果在寨裡邊轉了一大圈也沒有看到半個人影。

關平感覺事情不妙，小聲喊：「撤！」

正在這時，魏兵殺聲大作，徐商和呂建左右夾擊，關平看PK不過，只得撒開腳丫子向四冢跑。跑著跑著，老遠就看見四冢火光沖天，再近點，靠！城上早插滿了曹操的旗。關平無奈，只得奔向老爸所在的樊城而去。

關平見了關羽說：「現在徐晃奪了咱的偃城等N處，聽說曹操自領大軍來打樊城，還聽說荊州早被孫權給占了，還聽說……」

關羽斷喝：「閉嘴！全是謠言，謠言惑眾，你懂嗎？」

關平：「更正，是妖言惑眾，不是謠言惑眾。」

父子二人正吵得熱鬧，手下來報：「徐晃前來挑戰！」

關羽來到寨外大叫：「我倒要看看是誰來挑戰我！」

徐晃向前走幾步，深施一禮道：「哪裡敢說挑戰，我一向敬仰關前輩，我是來看望關老你的。」

關羽：「既然如此，你爲什麼把我兒子關平攆得到處亂竄？」

徐晃：「做爲個人，我是你粉絲，但做爲魏國的大將，我只能如此，這叫公私分明。」回頭又衝自己的將士們喊：「弟兄們！給我上，誰喀嚓了關羽重重有賞！」喊完，自己先和關羽動起手腳來。

關羽只好帶傷應戰，兩人劈哩啪啦打了八十多回合不分勝負，關平怕老爸支持不了更久，就鳴了金收了兵。

關羽正以爲可以歇一會時，曹仁又領兵殺了過來，關羽的兵見情勢不妙，撒開腳丫子就跑，關羽無奈，只得帶著眾人向襄陽逃去。半道，關羽在荆州的臥底來報：「不是謠言，荆州確實被孫權占了，你這一去不是自投羅網？」

關羽大吃一驚，穩住了神後安慰眾人說：「沒事，咱們還有公安呢！」話音未落，公安的間諜來報：「公安的傅士仁已經投降東吳了。」

關羽強作鎮靜：「沒事，咱們還有南……」

正在這時，南郡的地下組織來報：「南郡的糜芳投降了東吳。」

關羽聽了「啊」地大叫一聲，倒在地上不省人事。眾人掐了好久的人中，關羽才甦醒過來，問趙累說：「現在咱們前有吳兵，後有魏兵，這可怎麼辦？」

趙累嘆了口氣說：「以前孫權和咱家劉老大約好聯合著打曹操，現在孫權反而和曹操聯合起來打咱們，咱們先派一個代表到荆州當面質問一下呂蒙，另一方面也看望一下荆州包括你家、我家以及大家的家屬是死是活。」

關羽也想不起來有什麼更好的辦法，只得照辦。

第63回

關羽敗走麥城

關羽正要命令將士開打，呂蒙組織的家屬團又開始了心理戰，眨眼之間，關羽的將士只剩下三百多人了。關羽採納了關平的建議，眾人駐進了麥城，廖化被派去搬兵。

話說呂蒙自從得了荊州後，就下了十八道紅頭文件規定：凡是現在跟隨關羽出征的士兵家屬，吳兵不能隨意騷擾，並且按時供給錢糧，生病了公費治療……，所有家屬都很感激呂蒙。

呂蒙聽說關羽的代表來見，就親自出城迎接，代表把關羽的話傳給呂蒙，呂蒙說：「沒有永遠的朋友，也沒有永遠的敵人，只有永遠的利益，此一時彼一時，再說了，是友是敵那全是上面的意思，上級指哪我就打哪，身不由己啊！你回去好好把我這話傳給你家關老大。」

代表說：「一定！一定！」

見面會結束後，呂蒙又請代表吃了一頓豐盛的大餐。關羽士兵的家屬們聽說代表來了，紛紛過來打聽自家人的死活，有讓捎口信的，有讓捎書信的，也有讓捎褲子、襪子、鞋的，更有蘋果、栗子、核桃的。

最後，代表又問各位家屬的情況，家屬們眉飛色舞、滔滔不絕說：「呂蒙下令保護咱們家屬，還給米給麵給錢，生病了還給公費治療，我們在這可好了。」

第二天，代表把呂蒙的話及家屬們的實情回話給關羽，關羽氣得牙根發疼，「這呂蒙也太狡猾了！」

代表退出來後，眾將士們又圍過來探問家裡的情況，代表把自己所聽所聞所捎的東東全拿出來和大家分享，頓時，關羽營中哪還有戰心？

關羽率大軍——不對，那是以前，現在只能說是不大不小的軍隊去攻打荊州。幾乎所有的家屬都在城裡，只到半路，偷跑到荊州的將士數目就相當可觀。

走著走著，蔣欽跳出來攔住去路：「你關羽是秋後的螞蚱，蹦達不了幾天了，還不快繳械投降？」

關羽大怒：「少說屁話，有本事PK一下。」

蔣欽應付了幾下掉頭就跑，關羽哪裡肯放過，緊追不捨了二十多里，突然，左邊山谷裡蹦出韓當的人，右邊山谷裡竄出周泰的人。

關羽看實在打不過，只得往回跑，還沒跑幾步，丁奉軍、徐盛軍一左一右又殺奔過來。關羽正要命令將士開打，南邊山岡上呂蒙組織的家屬團又開始了心理戰，頓時，關羽的營中喊哥吼弟、哭爹叫娘的此起彼伏，眨眼之間，關羽的將士只剩下三百多人了。

正在這千鈞一髮之際，關平、廖化帶兵來援把關羽救了出去。關平和關羽商量說：「現在軍心大亂，不是碰硬的時機，咱們不如先駐進不遠的麥城，一來可以從長計議，二來派人到上庸找劉備的乾兒子劉封搬救兵。」

關羽採納了關平的建議，於是眾人駐進了麥城，廖化被派去搬兵。

廖化到了上庸，把實情告知劉封，劉封說：「你等一下，我找孟達商量。」

劉封在密室裡見了孟達問：「我關羽叔叔被困在麥城，你說咱們該不該去救？」

孟達答道：「聽說，現在關羽只剩下三百多人了，麥城就那麼個屁大點地方，又被東吳和曹魏兩國兵圍著。又聽說，光曹操一家就四五十萬兵呢，咱們去了還不是杯水車薪？」

劉封：「這道理我也知道，只是關羽畢竟是我叔叔呀！我能坐視不問嗎？」

孟達對劉封的話嗤之以鼻：「靠！你把關羽當叔敬，人家根本就沒有把你當侄子看。當年劉備剛領養你時，關羽就不高興，後來劉備稱了王要立個傳人，猶豫著是傳你還是劉禪，關羽說：『養子哪能算？』於是劉備傳給了劉禪。這還沒完，怕你和劉禪爭，又把你打發到這偏遠小地。這事路人皆知，只有你還屁顛屁顛的，愛和他關羽稱叔侄……」

劉封打斷了孟達：「靠！你的牢騷比我還多！算了，不說了，先說如何給關羽回話吧。」

孟達：「你就說你老爸讓你守上庸，如果領兵去麥城就是擅離職守。」

廖化坐在那等，左等右等，麥城那邊火燒眉毛了，哪裡坐得住？正急得團團轉，劉封出來了，廖化急切地走上前問：「準備派多少兵？」

劉封：「我不能派兵。」

廖化大驚：「Why？」

劉封：「杯水車薪你懂嗎？擅離職守你懂嗎？」

廖化無奈，只得到成都總部劉備那搬救兵去了。

再說關羽在麥城等，正等得心亂如麻，諸葛瑾前來求見。

關羽出來問：「什麼事？」

諸葛瑾：「就麥城這彈丸之地，就你剩下這些兵，外面早被我東吳大軍圍上了。我家孫權也並沒有別的意思，只是想和你結為親家永結友好，以便於聯合著打曹操，現在你後悔還來得及。識時務者為俊傑，你懂嗎？」

關平抽刀說：「懂個屁，再說，我喀嚓了你！」

關羽連忙制止：「他是咱們軍師諸葛亮的親哥，喀嚓了他，傷了老大劉備和諸葛亮的和氣。」

關平不聽，非要動手，諸葛瑾直嚇得抱頭鼠竄。

不一會，城外士兵紛紛招喚城內認識的士兵的名字，當即就有N多士兵看關羽大勢已去，偷偷從城牆上跳了出去。

第 64 回

樂極生悲

孫權最後還是把關羽等人喀嚓了。誰知樂極生悲，呂蒙喝高了，一開始是把孫權推倒，自己坐在孫權的位子上，後來精神失常自稱關羽，又後來七竅流血倒地身亡。

關羽見救兵不來，情勢又不妙，就和王甫商量：「咱們不如逃吧！」

王甫：「頂！不過小路恐怕有埋伏，咱們走大路吧。」

關羽：「他有埋伏，我就怕他了？」

王甫：「既然你不怕，跑什麼呀？」

兩人吵了一陣，關羽說：「既然咱倆誰也說服不了誰，來個民主投票行不？」

王甫：「OK！」

關羽衝士兵們喊：「頂我走小路的站在我這邊，頂王甫走大路的站那邊。」

於是呼啦啦士兵分作兩派，二百多人站在了關羽這邊，一百多人站在了王甫那邊。關羽看了說：「那好吧，你走你的陽關道，我走我的羊腸道。」

正要出發，王甫心想，我就這一百人，要是遇上吳兵還不夠填個牙縫，再說了，人家主要是抓你關羽的，我跑什麼跑？便說：「要不這樣，你儘管跑，我負責守這麥城，麥城雖小，但畢竟是個城，丟了可惜。」

關羽聽了心想：王甫說的有一定的合理性，再說了，王甫留在這，還能分散一下吳兵的注意力，於是就同意了。

趁晚上天黑，關羽領上二百多人悄無聲息逃走了。走了二十多里而未遇見吳的一兵一卒，關羽大笑：「哈哈哈哈……我終於逃出來了……我終於解放了……」

話音剛落，突然山谷裡金鼓齊鳴，殺聲震天，關羽一聽，一屁股坐在了地上。朱然拍馬過來說：「你喊個球？把我的好夢都給驚醒了，你賠！你賠！」

關羽藉著月光看朱然人多勢眾，不敢應戰，只能策馬狂奔。跑了四五里，關羽回頭數了數人數，「靠！真是勢利眼，只剩下幾十人了！」

有人說：「老大！你就知足吧！不管多少人，能撿條活命就算不錯了。」

正說著，潘璋聽到動靜又殺了過來。別看關羽人少，潘璋還是很怕關羽的，只胡亂應付了兩三下就跑遠了。關羽回頭再數人數，大部分都趁亂溜之大吉，只剩下十幾個人了。

關羽悲從心生，正自鬱悶，突然連人帶馬跌倒在地上，正要爬起來再跑，已經被人按住並捆了個結實，回頭再看，關平和自己手下十幾個人全都如此，原來是中了馬忠在這裡設下的長鉤套索陣。

天明後，孫權聽說不可一世的關羽等人已經被呂蒙設計全部拿下，就和眾官員開會討論。孫權首先說：「我覺得關羽怎麼說也是個人才，要不我給他多發些工資，讓他跟著咱們幹?」

左咸舉手發言:「反對!當年曹操俘虜了關羽時,又是封侯賜爵,又是大吃大喝,又是送錢送美眉,結果關羽還不是咯嚓了曹操的六個將領過了五關跑了?聽說前陣子曹操還怕關羽打他,準備把都城遷往邊遠地區呢!老大!我跟你說,整這些那是瞎子點燈白搭蠟。」

孫權深思良久,最後還是一揮手,讓人把關羽等人咯嚓了。

然後,孫權大開Party慶功,因爲呂蒙功最大,孫權親自爲呂蒙倒酒,並對眾人說:「咱荊州讓關羽霸占了這麼多年,周瑜、魯肅在位時都拿他沒有辦法,現在呂蒙輕而易舉就把荊州等地拿下,並且把關羽也拿下了,由此證明呂蒙比周瑜、魯肅都牛逼多了。」

眾人也都跟著拍呂蒙的馬屁,呂蒙很受用。

誰知樂極生悲,呂蒙喝高了,一開始是把孫權推倒,自己坐在孫權的位子上,後來精神失常自稱關羽,又後來七竅流血倒地身亡。

眾將見了面面相覷,沒有不害怕的。

這時候,一個聲音從外面傳過來:「刀下留人!」

張昭人未到，話先到。孫權等張昭撞進門後對他說：「Sorry！刀子比你聲音還快，你來遲了幾百步。」

張昭：「大事不好！這下咱們可要大難臨頭了。」

孫權：「Why？你給我個充分理由。」

張昭說：「關羽是劉備的結義兄弟，咱把關羽喀嚓了，劉備豈不抓狂？豈不傾全蜀國之力來和咱玩命？」

孫權聽了頭上直冒汗，張昭又進一步說：「如果劉備爲了報仇，再和曹操這麼一聯合……」

孫權頓時嚇得哇哇大哭：「這可怎著整！這可怎麼整！」

張昭：「哭有個屁用？我早想了一計準備著呢。」

孫權擦了一把鼻涕，急道：「快說！快說！」

張昭：「咱把關羽的人頭獻給曹操，讓他處置，這樣一來就可以把劉備對咱的仇恨轉嫁到曹操身上。」

孫權聽了連豎大拇指，「高！實在是高。」

話說曹操在洛陽聽說孫權把關羽的人頭獻來了，就對眾人說：「這下好了，以後我再也不用吃安眠藥了。」

司馬懿聽了說：「好個狗屁！孫權這是要嫁禍於你。」

曹操一拍腦門說：「靠！這孫權也太狡猾了，那你說怎麼辦？」

司馬懿：「這容易，咱用木頭刻個身子，接上關羽這頭，風風光光厚葬了，劉備必然不恨咱們，仍恨東吳。如果劉備真和孫權玩起命來，嘿嘿！那戲就好看了，吳敗打吳，蜀敗打蜀，只要咱們打下一個，另一個就好整了。」

曹操聽了很興奮，讓人找個木工操辦去了。

第65回

曹操選擇接班人

曹操死了，曹營一邊哭哭啼啼為曹操治喪，一邊嘻嘻哈哈祝賀曹丕稱王。正在曹丕喜形於色時，左右急報曹彰不服氣，領了十萬兵要和曹丕玩命。

話說曹操這年六十六歲，雖然數字六六大順挺吉利的，但畢竟年輕時人找病，年老時病找人。正在曹操年老體衰，吃遍了中藥、西藥、中西藥卻不見好轉時，孫權見機又生一計，建議曹操稱帝，自願稱臣。

曹操呵呵一笑：「靠！我一稱帝，全漢朝人還不都罵我白臉賊、大漢奸？那遊行示威的人還會少？你以爲我是羊肉串，你想怎麼烤就怎麼烤？」

陳群等人不識時務，跟著瞎起哄：「稱帝好啊！你一稱帝，我們也跟著沾沾光，你沒聽說過『一人得道，雞犬升天』？」

曹操笑說：「當了皇帝就牛逼了？還不照是生老病死！我現在有吃有喝有穿有住，生了病有錢治，只是治不好而已，我現在的日子和皇帝又有什麼區別？」

司馬懿建議說：「既然孫權願意稱臣，那就順階騎驢、順水推舟，命他去打劉備，看他怎麼整？」

曹操聽了說：「這主意不錯，OK！聽你的。」

又過了N天，曹操看自己的病不見好轉，知道早晚得翹辮子，就把四個兒子曹丕、曹彰、曹植、曹熊叫到床前囑咐後事。

曹操說：「我打天下三十多年，幹掉了N個地方勢力，功勞嘛還是很大的，只是，現在還有江東孫權和蜀漢劉備一直負嵎頑抗，所以嘛，革命尚未成功，你們幾個還得努力！」

四個兒子一一點頭稱是。曹操繼續說：「接下來，我要在你們四個之中挑選一個接班人，老三曹植嘛，IQ高，又有才華，我最喜歡了。」

曹植聽了心裡喜孜孜的。

曹操又說：「唉！不過，我考慮再三，還是決定放棄了。」

曹植一聽急了：「Why？」

曹操：「理由是華而不實，還有個致命的缺點，就是愛泡酒吧。」

曹植：「那我改，行不行？」

曹操：「我都說了N遍了，你改了嗎？」

曹植聽了真鬱悶。曹操：「老二曹彰很勇敢。」

曹彰聽了樂開了花。曹操接著說：「不過，勇而無謀。」

曹彰：「啥叫勇而無謀？」

曹植聽了沒好氣，插話說：「像你這種缺心眼、蛋白質，只能當造糞機的人，就叫勇而無謀。」

曹彰聽了個半懂，但還是耷拉下腦袋。

曹操又說了：「老四曹熊體弱多病，到哪都得提個藥罐子，也不行。」

曹熊聽了說：「I see！我有自知之明。」

曹操最後說：「只有老大曹丕老實可靠、辦事嚴謹，他接班我放心，你們兄弟也得盡力幫助他。」

曹丕聽了說：「多謝老爸的栽培，我一定不辜負你對我的期望。」

這天，曹操交代完後事慢慢閉上了眼，眾人以爲死了，剛想把他抬進棺材，曹操又睜開了眼，交代說：「我差一點忘了，我打仗這三十多年，肯定得罪不少人，死後一定有人想找我麻煩。還有，現在《盜墓筆記》這麼流行，我怕有人打我墳墓的主意，你們要大張旗鼓造七十二座假墳，誤導他們一下，千萬別讓吳邪、悶油瓶那幫人找到，把我拉去展覽，否則我死了也不能瞑目。」

手下說：「OK！你就放心地走吧！」

曹操這才「吧噠」一聲闔上了眼，好久再也沒睜開，後經測脈搏、心電圖，最終證明曹操確實是死了，隨侍在旁的曹丕哇哇大哭。

司馬孚：「先省點淚吧，你能不能當上魏王還不一定，大臣們說，沒有皇帝的批文，你還當不了魏王呢！」

曹丕止住哭，抹了一把鼻涕說：「借他皇帝一千個膽，他也不敢不批。」

果然，曹丕的話音剛落，皇帝的批文已經即時下來了。

於是，曹營一邊哭哭啼啼爲曹操治喪，一邊嘻嘻哈哈開Party祝賀曹丕稱王。

正在曹丕喜形於色時，左右急報曹彰不服氣，領了十萬兵要和曹丕PK。曹丕聽了火起，拿起武器就要和曹彰玩命。

賈逵說：「你消消火，我去，三言兩語就把他忽悠了。」

曹丕：「那你去吧。」

曹彰在城門外見賈逵來迎，小聲問：「老爸的大印，我大哥已經拿走了嗎？」

賈逵也小聲但嚴肅地說：「虧你們還是親兄弟呢，你也不怕外人笑話！你老爸生前是怎麼交代你們兄弟幾個的？」

曹彰臉紅。賈逵則見機大聲問：「你老爸還未入土，你是爲你老爸奔喪來呢，還是找你大哥PK來呢？」

曹彰只得說：「奔喪。」

賈逵：「那你帶十萬兵幹什麼呢？」

曹彰：「我老爸生前不是說要我兄弟三個幫他嘛，我這是給我大哥送兵來了。」

賈逵：「既然如此，你把帥印拿出來，讓我轉交給你大哥。」

曹彰騎虎難下，磨磨唧唧了好一陣，最終還是交出來了。

賈逵領著曹彰來見曹丕，把帥印交給曹丕後，當眾哈哈大笑說：「誰說曹彰是來PK的？人家是來奔喪和交帥印的。」

曹丕那個感動，眼淚涮涮直流，抱著曹彰嗚嗚嗚哭了起來。曹彰受到感染也嗚嗚嗚了起來，當然，讓曹彰嗚嗚嗚的另一個原因是從此丟了帥印。

曹彰走了之後，華歆對曹丕說：「你那三弟、四弟怎麼不見來奔喪呢？是不是不服氣？」

曹丕：「可能吧？那又能如何？」

華歆：「不如派點人嚇唬嚇唬！」

曹丕想了一下說：「OK，適可而止啊！」

第66回

曹丕稱帝

曹丕接下魏王之後，便到自己的老家譙縣亮騷著顯擺。有人很不把曹丕放在眼裡，說：「靠！你如果當了皇帝，那才算得上牛逼！」

老四曹熊生性膽小，聽說大哥派人抓他，當即嚇死了。

再說老三曹植，聽說曹丕派人來問罪，心想我就裝醉，給你來個非暴力不合作運動，看看你曹丕能怎樣？曹植見許褚領人到家後，便裝得酒醉似的，對許褚說：「你是給我送好酒來的吧？」

許褚聞到曹植渾身酒氣，便問：「爲什麼不奔喪？」

曹植不理，只是逐一問許褚手下的人：「給我好酒！」

許褚追著曹植：「爲什麼不奔喪？」

曹植抱著許褚的大腿哭道：「嗚嗚嗚，你賠我好酒！賠我好酒！嗚嗚嗚……」

許褚沒轍，就給曹丕打電話：「靠！你三弟耍酒瘋，你說我該怎麼整？」

曹丕聽了和華歆商量。華歆說：「看來他是真不服氣，一山容不得二虎，無毒不丈夫，不如喀嚓了。」

曹丕猶豫了一下說：「OK！」

誰知道螳螂捕蟬，蟬的老媽卞氏在後。卞氏聽了消息，不知從哪竄出來，揪住曹丕的耳朵罵道：「兔子還不吃窩邊草呢，你好大的膽，親兄弟你都敢喀嚓？我生你們兄弟四個我容易？哪一個不是我十月懷胎一把屎一把尿餵養長大的？」

曹丕歪著頭辯解：「一、聽妳說我早產半個月，也就是說妳偷工減料啦；二、我可不是吃屎喝尿長大的啊！我是喝奶吃飯長大的。」

卞氏加大了手勁，「還敢強嘴！」

曹丕連忙告饒：「我不喀嚓曹植了還不行？」

卞氏：「我不信，你發個誓！」

曹丕不假思索：「我對著耶穌發誓，我不喀嚓曹植。」

卞氏不依：「不行，我不信洋教！」

曹丕又說：「我對著老媽發誓，我不喀嚓曹植。」

卞氏還不依：「不行，你現在是魏王了，眼中哪還有老媽？你得發個毒誓。」

曹丕只得說：「我如果喀嚓了曹植，天打雷……」

「劈」字還未吐出來，外面「轟隆轟隆」傳來打雷的聲音，曹丕聽了心跳猛一下竄升到一分鐘一〇二次。卞氏說：「聽到了吧！這可是老天對你的警告。」

曹丕只得說：「孩兒真不敢了。」

正在這時，許褚押著曹植來了，華歆厲聲喝道：「曹植！見了魏王還不下跪？我看你是目無領導！」

曹植一見這架勢，撲通一聲跪下了。華歆一心想喀嚓掉曹植，就找茬說：「你哥曹丕當了魏王，你為什麼不祝賀？」

曹植：「我哥當了魏王，我做小弟的哪能不祝賀的？我剛剛還在喝酒慶祝呢！你看我身上這濕濕的就是酒，你聞聞！」

曹植說完，起身走到華歆身旁讓他看讓他聞，又來到曹丕跟前忽悠說：「我沒來，並不能代表我沒有祝賀。你們在這祝賀，我在自家祝賀，只是祝賀的場所不同而已，你說是吧，大哥！」

曹丕既然答應老媽不喀嚓曹植，便說：「算是吧。」

華歆不依不饒，又反過來問：「曹操死了，你做為兒子，為什麼不奔喪？」

曹植大呼：「冤枉啊！大家再看看許褚將軍褲腿這麼濕，你問許將軍，我是不是抱著他的褲腿痛哭的？」

許褚只得說：「是有這麼一檔子事。」

曹丕見了，連忙圓場說：「這樣吧，你在七十步時間內，以兄弟為題做首詩，做不出來就問罪。」

華歆聽了心說：靠！這不正是曹植的長項？你不想喀嚓就明說，好人都讓你當了，壞人都讓我一個人扛了。

曹植聽了說：「這太瞧不起我了，我自己加點難度，七步吧。」於是，曹植踱著方步念道：「煮豆燃豆萁，豆在釜中泣，本是同根生，相煎何太急！」

眾人聽了都拍著手喊：「好！好！好！」

曹丕也說好，上前和曹植抱頭，又嗚嗚嗚好一陣。其中有個細節，外人都沒看出來，曹丕附在曹植耳邊說：「差點上了華歆老賊的當，讓我喀嚓了親兄弟。」

曹植則哭：「嗚嗚嗚，我也知錯了，我再也不敢了。」

眾人都鼓掌相慶，只有華歆「唉」地嘆息了一聲。

曹丕接下了老爸的魏王之後，自以爲很牛逼，便到自己的老家譙縣亮騷、顯擺。有人很不把曹丕放在眼裡，說：「靠！一個破王有什麼好牛氣哄哄的，哪個山頭沒有個山大王？你如果當了皇帝，那才算得上牛逼！」

曹丕聽了覺得有理，對左右說：「我記得上小學時，有個作文題目叫『我的理想』，我當時寫的是自駕神舟十二號遊太空，現在想想，太空有什麼好？沒有美眉、沒有花草，甚至連空氣、水都沒有。現在讓我寫的話，我肯定會寫：我的理想是當皇帝，皇帝多好呀！想幹啥幹啥，想要嘛有嘛，就是我說樹葉是藍的，天空是綠的，又有誰敢砸板磚的？」

李伏說：「那還不容易？反正他漢獻帝占著茅廁也不敢拉，你把漢獻帝的大印奪來不就得了？」

曹丕：「哪有你想的那麼簡單？你沒聽說過名不正言不順？」

許芝：「奪確實不好聽的話，不如逼著漢獻帝把皇帝的位子轉讓給你。」

曹丕一聽說：「有點意思，怎麼逼？」

許芝：「首先是造謠言啊，要造得有鼻子有眼睛，比真的還真，就說各地出現了鳳凰、麒麟、黃龍等，如果說服力還不夠的話，咱們再慢慢想慢慢編，然後再承諾漢獻帝一輩子吃喝不愁。這樣一整，不怕他不答應。」

曹丕樂不可支，「如果他不識相，不願意呢？」

許芝：「軟的不行，就來硬的。」

所有人聽了都哈哈大笑起來。

話說這天漢獻帝剛上班，華歆等四十多位文武便提出議案要漢獻帝把皇位轉讓給曹丕，漢獻帝看了大驚：「不行！不行！我就不轉讓！看他曹丕又能怎麼樣！」

許芝說：「這些天遍傳石邑縣出現了鳳凰，臨淄城出現了麒麟，鄴郡出現了黃龍，種種跡象表明，風水輪流轉，現在轉到曹丕了……」

漢獻帝：「Stop！謠言！靠！想唬弄我啊？我們劉家以前就是搞這套發家的，我會不清楚？」

華歆：「既然你心裡明白，大家也就不用費盡心機拐彎抹角了，現在曹丕相中你的皇位了，你就是不想轉讓也由不得你！」

漢獻帝：「靠！這不是強買強賣嗎？我如果不轉讓，他敢喀嚓了我不成？」

華歆：「錯！曹丕他喀嚓你一個皇帝，和喀嚓一隻螞蟻又有什麼區別？」

漢獻帝聽了嗚嗚地哭：「這皇帝的大印，我劉家傳了四百多年了，本指望它能繼續升值呢，誰知道今天就要敗在我手裡，嗚嗚嗚……」

華歆：「傻皇帝，別哭了，這世上哪有不亡的國？哪有不敗的家？再說了，你當皇帝圖個什麼？不就是吃穿住玩嗎？這點我可以向你打包票，有了吃穿住玩，還當什麼破皇帝？多累心啊！」

華歆見漢獻帝有些動心，就順勢拿出手機撥了曹丕的電話，然後對漢獻帝說：

「來！和曹丕講個電話！」

漢獻帝：「曹丕吧！聽說你看上我劉家的玉璽了？我劉家都玩了四百多年，也早就玩膩了，你如果喜歡的話就送給你。」

曹丕扭捏：「看上是看上了，可是它在你劉家傳了四百多年了，橫刀奪愛也不是我曹家的風格，你給開個價吧！」

漢獻帝：「你曹丕也不是外人，那我就不客氣了，你保證我這輩子的吃穿住玩就OK了！」

曹丕：「OK！OK！同意！同意！」

華歆舉起拍賣槌，「啪」地一聲落下說：「成交！」

第67回

劉備稱帝，張飛身亡

范疆、張達二人提刀躡手躡腳向張飛切去。張飛只哼了一聲就喪了命，劉備正領著大軍向東吳挺進，突然得報三弟張飛被人暗殺，聽了咬牙切齒！

再說成都的劉備聽說侄兒漢獻帝把皇位轉讓給了曹丕後，恨鐵不成鋼，大罵了一聲「敗家子」後氣得臥床不起。

諸葛亮就和許靖、譙周一起來見劉備。

諸葛亮對劉備說：「氣大傷肝，你氣什麼氣啊？自稱皇帝不就得了？」

譙周隨和著說：「是啊！是啊！近來聽說成都西北角有黃氣N丈沖上天變成了祥雲，天上還發現有個帝星比月亮還亮十倍……」

劉備：「打住！你還是先歇歇吧！或者出去找個涼快的地方待著也行，誰不知道那是騙老百姓和小屁孩的！再說了，就咱現在四川這屁大的地盤，自稱皇帝豈不是丟人現眼？」

諸葛亮見劉備不稱帝，也不廢話，乾脆裝起病來，劉備信以爲真去看望。劉備問：「醫生說你得的可是相思病？」

諸葛亮：「是。」

劉備：「相思誰了？」

諸葛亮：「你！」

劉備：「相思我什麼呢？你又不是同性戀。」

諸葛亮打開了話匣子：「你想啊！大家跟著你出生入死，哪個不是盼著高升和多發工資？現在曹丕稱皇帝，說不定明兒個孫權也要稱皇帝，你手下的這些人誰不想當個大官在親戚朋友面前顯擺亮騷？跟著誰幹不是幹？等大夥都投奔曹丕、孫權了，你不就成光桿司令了？」

劉備聽了說：「你說的有道理，不過再有道理，也得等你病好了再說。」

諸葛亮一躍而起，只一擺手，眾文武大臣從裡間紛紛走出來跪在劉備面前，諸葛亮拿著指揮棒說：「預備！開始！」

眾人齊呼：「吾皇萬歲！萬歲！萬萬歲！萬萬萬歲！」

拜完，劉備問：「這麼說，從今兒個起，我就再也不當那破漢中王，而是至高無上的皇帝了？」

眾文武：「Yes！」

劉備：「也就是說我想讓你們幹嘛，你們就幹嘛？」

眾文武：「Yes！」

劉備：「那好，我現在就命令你們去死磕東吳！」

眾文武面面相覷，卻是不動。

劉備：「靠！怎麼了？我的話不好使了？想想N年前我和關羽、張飛桃園結義時說『不求同年同月同日生，但求同年同月同日死』，現在我當上皇帝享受榮華富貴，可憐我二弟被孫權設計咯嚓了，你們說，我不報仇行嗎？」

趙雲站出來說：「不可！你得先搞清楚咱們現在和曹魏的仇是國仇，是主要矛盾，和孫權的仇只是家仇，是次要矛盾……」

劉備：「靠！什麼矛呀盾的，我聽著都暈，管不了那麼多了，我就是要爲二弟關羽報仇！我皇帝都當上了，還報不了一個家仇？」

眾文武紛紛說：「要去你自個兒去，我們都不願去送死。」

劉備生氣：「你們這是擺挑子啊？靠！我也知道你們全是升官發財一個比一個積極，說要拼命打仗一個比一個理由多，算了！你們不去，我一個人去！」

劉備見眾人興趣缺缺，只得和三弟張飛聯繫報仇事宜。

再說張飛自從得知二哥關羽被孫權害死後，對孫權那個恨，可以用咬牙切齒來形容，後來看廣告上說「何以解憂，唯有杜康」，又染上了酗杜康酒的壞毛病，酗酒就酗酒吧，喝酒之後還愛耍酒瘋。

張飛的酒瘋有點個性，也可以說是變態，每次都是拿著馬鞭，看到不順眼的士兵就往死裡抽，於是，張飛手下被抽死的士兵頗多，順眼的士兵越來越少。

這天，劉備打電話說要自帶七十五萬大軍打孫權為關羽報仇，張飛舉雙手雙腳力挺。商量完後，張飛叫來范疆、張達說：「我命你們三天之內整完全軍的白鞋、白褲、白衣、白帽及白旗若干。」

范疆：「老大！我又不是魔術師，三天期限我哪有這本事？你還是直接把我抽死算了！」

張達也見機說：「是呀！能不能給個三十天？」

張飛兩眼一瞪：「還敢討價還價？要在以前，你倆早被我抽死了，今兒個你們還得為我辦事，那就各抽五十鞭吧！」說完就「劈哩啪啦」抽了起來，直抽得范疆、張達兩人滿地找牙。

Over，張飛警告說：「如果三天之內整不齊，定抽死不饒！」

這抽人可也是個重體力活，張飛抽了一百鞭，直累得筋疲力盡，正要脫衣上床，猛然想起今天抽人還沒來得及喝酒呢，不能壞了自己的規矩，就提了幾瓶杜康酒「咕咚咕咚」補了起來，這才爛醉如泥上床。

再說范疆、張達被抽之後商量來商量去，還是覺得三天之內完不成。范疆很沮喪：「唉！看來咱倆死定了！」

張達說：「與其被張飛抽死，不如咱先下手為強，先把他砍死！」

范疆吃了一驚：「行嗎？成功機率你估計有多少？」

張達：「命運嘲笑機率，只要有百分之一的希望，咱們也得盡力去爭取，自己的命運得掌握在自己手裡。」

范疆：「這話聽起來耳熟，從哪兒抄來的？」

張達：「好像是個叫公孫龍策的小子寫的，具體是哪本書想不起來了。別管這個了，幹吧！」

商定之後，范、張二人提刀躡手躡腳來到張飛床前，正要下手，看到張飛圓睜兩眼，二人嚇得扔了刀扭頭就跑。跑了幾步回頭看張飛並無半點動靜，又壯著膽走到近前，聽到張飛鼾聲如雷，這才又拾了刀向張飛切去。張飛只哼了一聲就喪了命，范疆說：「靠！沒想到切一個張飛比切個西瓜還容易。」

二人又按事前商定，把張飛的頭喀嚓下來投奔東吳而去。

再說劉備正領著大軍向東吳挺進，突然得報三弟張飛被人暗殺，劉備聽了咬牙切齒地大喊：「弟兄們！爲了給我二弟關羽、三弟張飛報仇！大家衝啊！」

再說東吳，孫權得到情報後便召開軍事會議。

孫權首先發言：「現在的形勢大家心裡都清楚，以前咱們的呂蒙設計把劉備的結義二弟關羽喀嚓了，前陣子，范疆、張達把張飛也喀嚓了，跑來投靠咱們，現在劉備是皇帝，又親自帶著七十五萬大軍要來和咱們玩命，大夥都想想，看看有什麼對付的高招？」

眾官聽了大驚失色，鴉雀無聲。終於，諸葛瑾站出來打破僵局：「依我看，去和劉備商量著簽定些比如道歉、賠款、割地之類的不平等條約準行。」

孫權：「呸！呸！呸！你這和慈禧又有什麼區別？」

諸葛瑾兩手一攤：「除了慈禧這法寶外，你還有什麼高招？」

孫權沉思老半天只得說：「那就OK吧！」

第68回

江東危機

蜀兵越圍越近，吳國眾將士衝入蜀營乒乒乓乓打了起來。結果，孫權的兵比劉備的兵死傷更多更難看，孫權急得團團轉，「這下怎麼辦？」

放下東吳，再說劉備正領著弟兄們往東吳衝，黃權手裡攥著手機追上劉備說：

「老大！諸葛瑾找你的。」

劉備：「顧不著，不接！」

黃權分析：「諸葛瑾會不會見咱們得勢，要叛變，要給咱透露情報？」

劉備：「很有可能。」於是就接了，「喂！喂！喂！你是不是要叛變？」

諸葛瑾：「我在這混得挺滋潤的，叛什麼變？」

劉備：「那你找我什麼事？」

諸葛瑾：「我也知道你要找東吳的麻煩，我是向你解釋的。」

劉備：「說說看。」

諸葛瑾：「一，你前老婆孫夫人是孫權的親妹子，那麼孫權就是你妻舅！」

劉備：「我呸！那不是早就被你們拐跑了？」

諸葛瑾：「我家孫權正考慮著把她送回去呢。」

劉備：「不勞大駕，我現在已經是皇帝了，老婆的問題已經不是問題了。」

諸葛瑾：「二，關羽在荊州時，我家孫權本來只是想和關羽結爲親家，使東吳和蜀漢來個親上加親，誰知道關羽他不識好歹不同意。」

劉備：「切！關羽的女兒才多大？你不知道早就不流行娃娃親了？再說了，你不知道婚姻自由啊？關羽不同意，你們還要搶親不成？」

諸葛瑾：「三，是關於荊州的事，剛開始曹操說要幫我東吳收復荊州，我家孫權哭死哭活不同意，結果是呂蒙私自動的兵，要不這樣，我把荊州還給你？」

劉備：「晚了！」

諸葛瑾：「四，你說這人死不能復生，要不我們賠你點錢？」

劉備：「靠！我二弟的命豈能用錢來衡量？我對錢不感冒。」

諸葛瑾：「切！慈禧這招用在八國聯軍身上屢試不爽，在你這怎麼就不好使了呢？那你對什麼東東感冒？我回頭和孫權商量商量。」

劉備：「我只對孫權的人頭感興趣，你跟他商量一下，讓他把脖子洗乾淨，等著讓我砍。」

諸葛瑾：「五，張飛可是你們狗咬狗被咬死的，不關我們的事。」

劉備：「滾！不和你磨牙了，手機費賊貴，掛了。」

諸葛瑾：「我還有六、七……喂！喂！喂！」

諸葛瑾把手機揣進口袋對孫權說：「不好意思，劉備不識好歹，不吃一套。」

孫權傻了眼：「慈禧這招怎麼不靈了呢？接下來怎麼辦？」

趙咨站出來說：「咱們不如和魏國曹丕聯繫一下，就說咱們願意稱臣，這麼一來，咱們和魏國是一個聯盟了，他曹丕哪還有不派兵來救之理？」

孫權：「有道理！那就趕快試試吧。」

趙咨也摸出手機撥了曹丕的電話，「喂！曹丕吧？我是吳國的趙咨。」

曹丕：「叫我曹丕皇帝，什麼事？」

趙咨：「我家孫權看你挺有前途的，所以也想合併入魏國，你看O不OK？」

曹丕：「當然OK了，這樣吧，既然你家孫權有誠意，那我就冊封孫權爲吳王，並加最高級九錫，委任狀馬上傳真過去。」

趙咨：「我替孫權謝謝你啊！對了，既然咱們現在是一國了，我就給你彙報一下這邊的國情。」

曹丕：「請講！」

趙咨：「從西邊來了個劉備，手裡握著七十五萬的精兵，在東邊駐著個孫權，手裡握著一百萬的弱兵。因爲西邊劉備的二弟關羽被東邊的孫權設計整死了，劉備要找東邊的孫權報仇。東邊的孫權想著打不過，就向西邊的劉備提出簽定個諸如道歉、賠款、割地之類的不平等條約，但是西邊的劉備不願意用道歉、賠款、割地之類的東東換他二弟的性命……」

曹丕：「Stop！你這人講話怎麼這麼囉嗦！一句話，什麼意思？」

趙咨：「就是想請你派兵打劉備。」

曹丕：「噢！我明白了，稍安勿躁，回頭我幫你問問，要是找到閒著沒事幹的兵的話，我就讓他們過去。」

劉曄見曹丕收了手機則說：「咱們不如趁火打劫，收拾了東吳？」

曹丕：「NO！」

劉曄：「那你真要派兵打劉備？」

曹丕：「你以爲我是傻蛋啊？我既不幫劉備，也不幫孫權，只需坐山觀虎鬥就是了，只要有一個滅了，那另一個就好打了。」

眾人聽了哈哈大笑。

孫權按照曹丕說的稍安勿躁傻傻地等，等了N天，不見魏兵有什麼動靜，蜀兵卻越圍越近。

孫權等不及了就說：「靠天靠地不如靠自己！弟兄們！現在報效祖國的時候到了，給我衝上去狠狠地打！」

於是，吳國眾將士都喊著「衝啊」衝入蜀營乒乒乓乓打了起來。結果，孫權的兵比劉備的兵死傷更多更難看，孫權急得團團轉，「這下怎麼辦？」

闞澤：「你老是轉，除了讓人看了頭暈還有什麼屁用？要想打敗劉備，你得重賞呀！你沒聽說過重賞之下必有能夫？」

孫權急忙問：「先說能夫在哪？」

闞澤：「遠在天邊，近在……你先說獎金多少？」

孫權：「靠！如果誰能打敗劉備的七十五萬大軍，你想我會虧待了他？」

闞澤：「你等著啊！」衝樂隊喊：「Music！」

伴著樂曲和掌聲，年輕的陸遜閃亮登場。

孫權：「Stop！Stop！」

音樂停後，眾人紛紛爬在地上亂摸，陸遜忙說：「不用磕頭，快快請起，你們也太客氣了！」

有人說：「我這不是磕頭，我這是找眼鏡咧！」

孫權也埋怨闞澤道：「現在國難當頭，你還有心開這國際玩笑？他陸遜一介柔弱書生，有個屁用？」

闞澤：「你看走眼了，以前呂蒙整垮關羽，還是靠陸遜幫襯呢！我以全家人的性命擔保，陸遜絕對能打敗劉備的七十五萬大軍。」

孫權問：「好大的口氣！你全家幾百口人？」

闞澤：「沒有那麼多！」

孫權：「那總有幾十口吧？」

闞澤：「我家祖傳都是計劃生育政策的積極擁護者，沒有那麼多。」

孫權再問：「幾口總有吧？」

闞澤：「不好意思，我家就我一個。但是，我敢保證陸遜絕不是水貨，絕對能打敗劉備的大軍。」

闞澤走上前拍拍陸遜的肩說：「兄弟！千萬別演砸了，我全家人的性命全押在你一人身上了。」

孫權：「那好吧！死馬只能當做活馬醫了，現在除了陸遜也沒有其他辦法，大家鼓掌歡迎。」

於是，大夥有氣無力地鼓著掌喊：「歡迎！歡迎！熱烈歡迎！」

孫權：「請陸遜陸大都督發表就職演說。」

陸遜：「我的高論就是兩個字：堅守！Over！」

第 69 回

陸遜火燒連營

蜀兵被火燒死、踐踏死、嚇死者不計其數，劉備一邊跑一邊回頭看，自己的七十五萬大軍一眨眼只剩下一百多人了，後面還有多如螞蟻的吳兵追上來。

陸遜來到前線，周泰問：「現在孫權的侄子孫桓被劉備的軍隊圍困於彝陵城中，內無糧草，外無救兵，請問你有什麼辦法？」

陸遜：「好說，孫桓人不錯，估計軍心也不錯，肯定能堅守得住，等我破了劉備的大軍，他自然就沒事了。」

周泰又問：「你有什麼破敵良策？」

陸遜：「堅守不攻。」

周泰：「你堅守就能把敵人守死？」

陸遜：「我只是說先堅守不攻，然後……我先不告訴你，既然孫權讓我當大都督，就說明我的計策自有妙處。」

陸遜任由蜀兵前來挑戰、挑釁、謾罵，就是不出戰。

這天，馮習對劉備說：「現在天氣炎熱，咱們的人整天在陣前打嘴戰，想喝口水都不方便。」

劉備想了想：「那就先把營紮在江邊有樹蔭的地方吧，等天氣涼快再說。」

於是，蜀兵就溜著河邊，一個營挨著一個營，四十座營接連不斷。

馬良擔心地問：「你這樣紮營恐怕不科學吧？不如把咱這地形地貌畫成圖冊傳真給諸葛亮參謀參謀？」

劉備：「我好歹也讀過好幾本兵書，沒了諸葛亮地球就不轉了？他諸葛亮也只不過相當於三個臭皮匠而已。」

馬良：「你不聽別人的意見，這不是獨裁嗎？」

劉備生氣：「靠！你閒著沒事的話，你就畫吧！」

卻說陸遜見劉備的人全駐進江邊的樹林裡了，就給孫權打電話：「老大！我馬上就要破劉備的七十五萬大軍了，你就讓人安排慶功Party吧。」

孫權聽了心裡樂開了花。

陸遜放下電話對手下眾將說：「誰先去打頭陣？」

韓當、周泰、凌統等名將紛紛站出來說：「我願去！」

陸遜全都不用，選來選去，最後拍拍最菜的淳于丹的肩說：「我看你去最合適了，我給你發五千兵。」

淳于丹吃驚：「你想害死我啊？你讓我帶五千人去打劉備的七十五萬人？」

陸遜：「是！你放心，絕對沒有生命危險，你打不過還不會跑嗎？」

淳于丹半信半疑領了兵就去打，果然，剛到蜀營，傅彤、趙融、沙摩柯三路人馬就跑過來追打，淳于丹見勢不妙拔腿就跑。

跑到吳營回頭再看，只剩下自己一個人了。淳于丹哭喪著臉說：「Sorry！我把你的五千人全搞死了。」

陸遜哈哈一笑說：「沒事，我只是讓你去做個小試驗，探探蜀營的虛實而已，看來七十五萬兵馬確實全在，這我就放心了。」

淳于丹：「啊！原來我只是隻小白鼠！」

陸遜：「別那麼說嘛！小白鼠有小白鼠的用處嘛！」然後又對眾人吩咐：「就按我剛才交代的去辦吧，成功就在眼前。」

放下吳營，再說蜀營。傍晚，馬良顧不上吃飯，終於把劉備所在的地形和紮營的位置繪成圖，傳真給諸葛亮。

諸葛亮看了大吃一驚，連忙給劉備打電話：「老大！誰讓你這麼紮營的？這傢伙必定是臥底，立馬把他抓起來喀嚓了。」

劉備聽了心也不安起來，「沒有誰呀，都是我一手策劃的，怎麼了？」

諸葛亮：「如果是你自己弄的話，那就不喀嚓了！不過，你現在的紮營陣勢是強姦科學，人家一把火，你不就玩完了？」

劉備：「不會這麼嚴重吧？陸遜膽挺小的，就職演說就是『堅守』兩個字，今天我還殲滅了他五千人呢！」

諸葛亮：「你還是把紮營方式改變一下吧！萬一不幸陸遜今晚就來燒營，你就撒開腳丫子跑往白帝城，準沒事。」

劉備：「呸！呸！呸！閉上你的烏鴉嘴。」

正在這時，情報人員來報：一營失火了。

劉備心裡咯噔一下，但還心存僥倖，心想應該是偶然現象吧，就批示：「幸好離水近，趕快用水潑！」

緊接著情報人員又來報：三營失火！劉備還沒來得及批示，又有人來報：五營、七營、九營……營全失火了。劉備納悶了，問道：「爲什麼全是奇數營呢？」

接著，情報人員又來報：二、四、六……偶數營也全被奇數營連著染火了。所有情報人員齊問：「怎麼辦？」

劉備：「還能怎麼辦？諸葛亮早替咱們想好了出路，那就是白帝城，還愣著幹什麼？想活命就快跑啊！」

於是，蜀兵跑，吳兵追，期間，蜀兵被火燒死、踐踏死、嚇死者不計其數，還有不少見情勢不妙投降了吳軍。劉備一邊跑一邊回頭看，自己的七十五萬大軍一眨眼只剩下一百多人了，後面還有多如螞蟻的吳兵追上來。

劉備自嘆：「都說你諸葛亮神機妙算，你說讓我跑到白帝城就安全了，看來我是跑不到了，我看我還是早死早投胎吧！」

劉備嘆完正要自絕身亡，死前想再多看一眼這多彩的世界時，突然趙雲領救兵從天而降，劉備這才被趙雲護著逃到白帝城。

陸遜正領著眾將士追趕劉備，見劉備被趙雲救進了白帝城，下令：「撤！」

左右問：「劉備的七十五萬大軍都被我們幹掉了，還怕他一個趙雲？」

陸遜：「不是怕他趙雲，我是突然想起來咱們大軍都在這兒，國內空虛，如果曹丕派兵趁虛而入怎麼辦？如果東吳被攻陷了，那咱們打死一個劉備又有屁用？」

果然，走到半道，情報人員報告：魏國的曹仁部隊向吳國的濡須進發，曹休部向吳國的洞口進發，曹真部向吳國的南郡進發。

陸遜大笑：「想佔我便宜，門都沒有！」結果，曹丕的三部人馬啃了一陣子，看啃不下來，只得灰溜溜地退回了洛陽。

趙雲見陸遜的人退了，就建議劉備返回成都，劉備說：「都是我不聽各位同志們的勸，折騰了一下就損失了七十五萬兵，孫權這殺千刀的仍然活蹦亂跳，你說，我還有什麼臉回去見江東父……不對，是蜀漢父老？算了，我就老死在這，再也不回成都了。」

於是，劉備留在白帝城面壁思過，越想越嘔，越想越鬱悶，越想越……，想著想著居然把病想出來了，並且越病越重。劉備心裡清楚活不了多久，交代了後事撒寰而去，自此劉備時代結束，取而代之的是兒子劉禪時代。

曹丕得知後，就想把劉禪時代扼殺於搖籃之中，可惜蜀漢有諸葛亮在，曹丕試了試打不過，只得退了。東吳深知和蜀漢互爲唇齒，也深知明哲保身，所以並未出兵打蜀漢，也未出兵打北魏。

第70回

諸葛亮七擒蠻老大(上)

孟獲正要從原路退出去，王平領人殺了過來；想從左邊出去，魏延又領人圍了過來；想從右跑，趙雲又閃了過來。孟獲慌亂之中跑到瀘河邊。

話說這人生下來就是用來製造矛盾和解決矛盾的，曹魏、東吳剛消停下來，南邊孟獲又不安份起來，諸葛亮向劉禪請示：「我得去打孟獲了，行嗎？」

劉禪：「不是聽說你諸葛亮神機妙算，運籌帷幄能決勝於千里之外嗎？你隨便找個大將領兵去打不就OK了？」

諸葛亮哈哈一笑：「我沒有謠傳中那麼神，再說了，這南方我也沒去過，地形又不熟，得親自看了，才能知己知彼百戰不殆。」

劉禪問：「那你走了，誰來保證我的安全？」

諸葛亮：「那倒是，要不這樣，你也跟著我去打仗？」

劉禪想了想說：「那還是算了吧，再怎麼樣，成都也比前線安全。」於是，諸葛亮領兵去了。

之一：孟獲中埋伏兵敗諸葛亮

孟獲聽說諸葛亮的兵到了，就對忙牙長說：「早聽說諸葛亮詭計多端、用兵如神，我也不知道底細，你先小馬過河試試水！」

忙牙長嘟噥道：「真是官大一級壓死人，看來我今天得當小白鼠了。」

嘟噥歸嘟噥，仗還是得打，忙牙長來到陣前就和蜀將王平乒乒乓乓打了起來。還沒有打幾個回合，王平便裝作打不過撤了，關索接著上陣，和忙牙長應付了幾下，也裝作打不過撤了。

孟獲看了大叫：「靠！真是謠言，諸葛亮哪有傳說中那麼厲害？弟兄們！追！」

追了二十多里眼看就要追上，左邊張嶷、右邊張翼殺將出來，王平、關索也回過頭來往死裡打。

孟獲反應最快，見勢不妙扭轉馬頭就跑，只聽得身後「喀喀嚓嚓」聲大作，聽著像切西瓜聲，回頭看，原來是自己士兵的人頭紛紛被砍落地上。

孟獲跑了一陣看看追兵漸漸遠了，剛想喘口氣，趙雲又從路邊蹦了出來，孟獲問：「你幹嘛呀？」

趙雲：「喀嚓你！」

孟獲：「江湖規矩你懂不懂？總得打聲招呼吧？哪有無聲無息跟鬼似的？」

趙雲：「Sorry！我不知道你們南方的規矩，我還是入鄉隨俗，再來一遍吧。」

孟獲見趙雲又退進了草叢，喊一聲：「你在這慢慢練吧！後會有期！」喊完拍馬揚塵而去。

孟獲又跑了老大一陣，累得氣喘吁吁，正暗自得意把蜀兵甩遠了，猛然看見魏延領了五百人擋住了去路。

孟獲在馬上喊：「好狗不擋路，擋路非好狗！」

魏延說：「少廢話！我現在給你個選擇題，A、負嵎頑抗；B、束手就擒。」

孟獲陪笑：「沒了？就沒有個C、D、E、F什麼的？」

魏延：「沒有！嚴肅點！別嘻皮笑臉的。」

孟獲舉起手：「我一個人哪裡打得過你們這麼多人？我還是選B吧！」

眾人都鼓掌喊「好！」

之二：孟獲兵敗臥底董荼那

孟獲聽說諸葛亮的兵到了，就和眾人大吃大喝起來，董荼那問：「你不去打諸葛亮了？」

孟獲一邊喝著小酒一邊說：「諸葛亮很狡猾，我只要和他一打，必然中了他的奸計，我以不變應萬變，看他拿我怎麼辦！」

董荼那問：「如果諸葛亮主動來打咱們呢？」

孟獲：「陣前有瀘河，諸葛亮沒有船怎麼打？」

董荼那問：「如果他造得了船呢？」

孟獲：「瀘河那麼急，他怎麼過得了？」

董荼那問：「萬一他造個航空母艦，或架個過山車什麼的過來了呢？」

孟獲：「咱這邊山勢險峻，而且築有防禦工事，就是他過來了也上不來。」

董荼那問：「他如果從下游一百五十里水緩的地方過呢？」

孟獲哈哈大笑：「我正要他從那過呢！我早在那裡下了毒，士兵們沾水必死。」

董荼那問：「那如果有本地人告訴了他，他小心翼翼不沾水用船過了河呢？」

孟獲一楞，然後又大笑：「咱南方哪有這叛徒？」

董荼那問：「那如果是……」

孟獲兩眼一瞪：「你哪一撥的？」

董荼那討了個沒趣退了出去。過了一會兒，董荼那又進來問：「你能不能讓我把最後一個問題問完？」

董荼那看孟獲兩眼閉著靠在椅背上不吭聲就說：「不反對就是同意了，我是想問你，如果我是臥底怎麼辦？」

董荼那看孟獲還沒有反應，又提高了八度問：「我問你，如果我是臥底怎麼辦？」再看，孟獲居然打起了鼾聲，於是董荼那就吩咐眾人把孟獲用繩捆了起來。

之三：孟獲自投羅網

孟獲聽說諸葛亮的兵到了，和弟弟孟優商量：「你帶部分士兵給諸葛亮送金銀財寶，以投靠爲名進入蜀營，晚上我再帶三萬人去打，來個裡應外合。」

孟優：「你不虧比我多吃幾年飯，想的點子就是有創意，高！實在是高！」

話說諸葛亮見孟優來投靠果然高興，見他還帶了金銀財寶更高興。諸葛亮：「太客氣了，你能和你哥分道揚鑣來投靠，我已經很高興了，還帶什麼禮物呢？你也知道，我們蜀國是不許受賄的，呵呵呵呵，下不爲例啊！」

孟優：「我和孟獲雖然是親兄弟，但他過他的獨木橋，我走我的陽關道。」

諸葛亮：「你哥孟獲有你一半開明該有多好啊！走！喝兩杯慶祝一下。」

孟優瞅住機會暗中叮嚀士兵們：「咱們是來做內應，不是參加婚禮的，不許貪杯，酒量大的只許喝三杯，酒量小的只許喝一杯，記住了嗎？」

眾人一齊小聲說：「記住了！」

這時諸葛亮正好走進來，「記住什麼了？」

孟優靈機一動說：「我給弟兄們交代，諸葛丞相的好意不能不領，不管酒好酒賴都得多喝！」

諸葛亮：「是呀！既然是一家人了，就不用客氣，儘管喝。」

孟獲看看天黑了下來，就帶著三萬人偷偷摸摸來到蜀營前，按約好的學布穀鳥叫，連叫了三遍都聽不到任何動靜，心想：「算了，反正諸葛亮也沒有準備，咱們直接攻進去得了。」

眾人來到營內，只見孟優的人橫七豎八倒了一地，孟獲拉起一個士兵抽了幾嘴巴問：「是死是活說句話！」

那士兵一激靈：「是活，不過諸葛亮在酒裡下了安……」打了幾個呼嚕吐出「眠藥」後又睡著了。

孟獲小叫一聲：「不好！」正要從原路退出去，王平領人殺了過來；想從左邊出去，魏延又領人圍了過來；想從右跑，趙雲又閃了過來。孟獲慌亂之中跑進了廚房，情急之下從煙囪裡鑽了出去。

孟獲帶著一臉一鼻子的灰來到瀘河邊，正好河邊有條漁船，孟獲喊：「過來！

過來！你把我渡過去，我給你十晚逮魚的錢。」

那漁船果然划了過來，孟獲一邊上船一邊說：「真嚇死我這小心肝了，差一點就被諸葛亮逮住了。」

漁民聽了卸下斗笠說：「我馬岱等的就是這一點。」

第71回

諸葛亮七擒蠻老大(中)

眾人過了啞泉，先後又見了柔泉、黑泉、滅泉，煙霧繚繞的毒氣，眼前出現一座山洞，諸葛亮正要下令攻，楊鋒押著五花大綁的孟獲走過來。

之四：孟獲自栽陷阱

孟獲聽說諸葛亮的兵到了，就派兵到蜀營前叫陣，諸葛亮就是堅守不出。孟獲的人叫了多天始終不見諸葛亮的動靜，就派情報人員去打探。原來，諸葛亮所有的人早退了，只留下空營三個。孟獲：「沒想到諸葛亮這般孬種！你打不過也打聲招呼嘛，害得我們白費這麼多口水。」

然後見營內各種設施齊全，而且和南方的不一樣，就把自己的大軍駐了進去，想讓自己的兵也體驗體驗蜀國人的軍事生活。

話說這晚，孟獲等人正自享受，趙雲和馬岱領兵殺得孟獲措手不及。孟獲領著敗軍慌不擇路逃到一個山谷中，放眼望去，南、北、西都有火光，就向東跑。拐了個彎來到一片樹林前，突然看到前面有十幾個拿著火把的人，再細看，中間的那個居然正是諸葛亮。

孟獲來了興趣，對諸葛亮說：「姓諸的，想不到你也有今天！」又對眾人喊：「弟兄們！衝啊！」

喊完自己身先士卒第一個衝了出去，只聽「咕咚」一聲栽進陷阱之中。孟獲在陷阱中喊：「救命啊！」

諸葛亮來到陷阱邊說：「我救你可以，但你得記住了，我不姓諸，姓諸葛。」

之五：孟獲躲進禿龍洞

孟獲聽說諸葛亮的兵到了，嚇得和兄弟孟優抱頭嗚嗚嗚大哭。孟優：「我早就給你說安份點，你偏要玩火！」

孟獲：「既然我躲也沒處躲，藏也沒處藏，乾脆去自首得了？」

孟優：「錯！躲藏還是有地方的。」

孟獲：「你怎不早說呢？哪？」

孟優：「禿龍洞！通往這禿龍洞只有兩條路，東北那條平淡無奇但很安全，西北那條雄奇無比但暗藏殺機，不是生靈能待的地兒。如果咱們把東北那條路用鋼筋水泥這麼一封，豈不是比買平安保險還強上千八百倍？」

於是，兄弟倆就投奔禿龍洞而去。

諸葛亮領兵到後，駐紮了好幾天不見孟獲前來挑戰，經情報人員打探，原來孟獲躲進了禿龍洞。再經打探，現在只有西北一條路可走，雖然山高路險，但也風景秀麗，既能打仗，又能順便旅遊。於是，諸葛亮帶著一幫人嘻嘻哈哈向前走，走著走著，前面出眼一眼泉水，有士兵說：「這可是正宗的礦泉山。」

於是，眾人爭著去喝，喝完之後都是張著嘴亂動，就是發不出聲，諸葛亮大吃一驚，急忙下令：「Stop！Stop！」

諸葛亮環顧四周，發現不遠的嶺上有座廟，出於好奇就走了進去，廟裡塑著一個軍人的像，再看旁邊的說明文字，原來是以前漢朝平定南方的馬援將軍。諸葛亮看完倒頭便拜，磕頭如雞啄米，「如果你在天有靈的話，看在同行的份上，你就指點我一下吧。」

拜完抬頭看，塑像果然開口說：「向西二十里。」

諸葛亮連忙問：「然後呢？」

塑像又說：「你不是說指點一下？再指點就是兩下了。」然後再也不理諸葛亮了，諸葛亮無奈，只得退出廟，帶人向西走去。

走了約有二十里，果然出現一草庵一戴斗笠的老頭，諸葛亮問：「老頭！我想問你件事。」

那老頭聽後轉過身，取下斗笠。諸葛亮一看那山人比自己還年輕，連忙說：「大兄弟！我是想問你，這附近哪兒有賣治不會說話的藥？」

山人：「我這草庵後有一眼泉水，可以治這種病，自己去喝吧！」

諸葛亮大吃一驚：「你不是誆我，也不是騙我的吧？」

山人：「信不信由你！」

諸葛亮：「我的士兵們剛才喝了一眼泉水，變啞不會說話了……」

山人：「你們剛才喝水的泉叫啞泉，過了六個小時就沒命了！」

眾士兵聽了也顧不得許多了，一個個用手捧了就喝，果然又都會說話了，諸葛亮大喜。山人又說：「你剛才走的路上除了這眼啞泉外還有三眼泉，一個叫柔泉，人喝了身體會變軟而死。一個叫黑泉，人如果沾上了，會全身變黑而死。還有一個叫滅泉，水溫一百八十度，人如果跳進去洗澡，連骨頭你都找不著。過了這四泉再向前，山中到處瀰漫著一種毒氣，美國軍用的防毒面具都不頂事，人如果吸進去一口會暈，吸進去十口會死，吸進去一百口……」

諸葛亮及眾士兵齊問：「怎麼樣？」

山人說：「蛋白質呀？人都死了還吸得進去嗎？」

眾人聽了哈哈大笑。笑完諸葛亮自嘆：「唉！看來我們是過不去了！」

山人：「那不一定，如果口中含了我這草庵前的薤草葉，保準沒事。」

諸葛亮歪著頭問：「我猜你賣過日本大力丸或狗屁膏藥，你剛才的水和這薤草葉賣我多少錢？我們可並不十分有錢，別太坑人啊！」

山人問：「啥叫狗屁丸？啥叫大力膏藥？啥又叫錢？」

諸葛亮一聽不要錢，大喜過望，「等我打敗了孟獲，一定上奏皇帝升你當個大官，先問你姓啥叫啥？」

山人：「姓孟叫節，我的知名度低，你可能沒有聽說過，不過，你剛才好像說過認識我弟弟孟獲？」

諸葛亮大驚失色，連忙改口說：「是！是！是！我和他關係可鐵了，我這就是去約他喝小酒的。」說完，每人採了幾片薤草葉撒開腳丫子就跑。

於是眾人過了啞泉，先後又見了柔泉、黑泉、滅泉，因爲孟節交代過，沒敢招惹它們，倒也相安無事。再向前走，就見到了煙霧繚繞的毒氣，諸葛亮命眾人口中含了薤草葉，果然安全。

又向前走，眼前出現一座山洞，諸葛亮正要下令攻，楊鋒押著五花大綁的孟獲走過來，楊鋒：「話說識時務者爲俊傑，我也知道打不過你們，就把他抓來了。」

第72回

諸葛亮七擒蠻老大(下)

眾藤甲兵剛到谷中心就踩中了連環地雷，被炸得哭娘喊爹。趙雲吩咐眾士兵點著了火把往下扔。孟獲許高勞務費誆來的三萬藤甲兵全軍覆沒，一個沒剩。

之六：諸葛亮ＰＫ木鹿大王

孟獲聽說諸葛亮的兵到了，就嗚嗚嗚大哭起來，小舅子帶來洞主說：「現在我敢肯定我姐的眼光確實有問題，你到底是不是男人？」

孟獲抹了一把鼻涕說：「你真是不當家不知道油鹽醬醋的貴，沒打過仗，不知道被抓的滋味。」

帶來：「那你就束手就擒、坐以待斃？哭有什麼屁用？我能請來絕對ＰＫ得過諸葛亮的人。」

孟獲破涕爲笑：「快說！快說！」

帶來：「木鹿大王！聽說他能呼風喚雨，山中的虎、豹、豺、狼、蛇、蠍都聽他的，法術可厲害了。」

孟獲：「那還不快請？」

話說諸葛亮探知孟獲要請木鹿大王，心下也暗吃一驚，左思右想，終於想出來一個辦法，讓士兵連夜做幾百個卡通大怪獸，越大越好，越怪越好。

第二天，木鹿大王果然騎著大象前來挑戰，只見木鹿大王手中搖著個鈴鐺，口中念念有詞：「&＊︿@＃%￥……」

有蜀兵喊：「有本事你就過來，念什麼破咒！」

一會兒，只見山中無數的虎、豹、豺、狼、蛇、蠍……紛紛向蜀軍這邊跑過來，蜀軍哪見過這等架勢，膽小的嚇得直捂眼睛，膽大的嚇得哇哇直哭。諸葛亮說：「不用驚慌，趕快把怪獸拉起來！」

眾士兵聽了連忙壯著膽，紛紛拉起繩子，讓三層樓高的怪獸站起來。虎、豹、豺、狼、蛇、蠍……一看，驚呆了。

老虎說：「乖乖！這怪獸也太怪了，我在這山中闖盪這麼多年，聽所未聽，聞所未聞，就它那牙就比我身子還大，得了吧！我過去還不夠填它個牙縫呢！」

豹、豺、狼們見老虎都不敢去就更不敢去了，蛇、蠍之類的見一個就大得遮了半邊天，看著都暈，也扭回了頭。眾野獸回頭看到孟獲的士兵大小還適中，於是紛紛下了口，直咬得孟獲兵哭爹喊娘。

孟獲眼看砸了鍋，連忙對木鹿大王喊：「Stop！停！停！這些野獸你從哪招來就讓牠們回哪去吧！」又舉著雙手來到陣前衝諸葛亮喊：「我PK不過，認輸了！」

之七：諸葛亮PK藤甲兵

孟獲聽說諸葛亮的兵到了，就對小舅子帶來洞主說：「現在諸葛亮來抓我，走！咱倆去PK他諸葛亮的十萬大軍。」

帶來：「靠！你用腳趾頭想想，這能打得過嗎？人和動物的區別在於人會製造和利用工具，高IQ人和低IQ人的區別在於高IQ人會發現和利用人才。」

孟獲：「喲！喲！喲！看不出來我小舅子還高IQ呢！現在諸葛亮的大軍在前，你準備發現和利用哪個人才？」

帶來：「我早替你想好了人選，咱們東南七百里有個烏戈國，國王叫兀突骨，手下的兵穿的甲都是用藤做的。你可別小看了這藤甲，雖然簡陋了點，但這藤甲可是用特製的油浸過十幾遍，然後曬乾，裝在身上，刀槍不入啊！」

話說沒有不透縫的牆，也沒有間諜搜羅不到的情報，諸葛亮得報孟獲去請藤甲兵，就親自視察能對付藤甲兵的地形，發現有個叫盤蛇谷的長峽谷後，一拍大腿說：「就是它了，不過好是好，就是離孟獲的根據地太遠了。」

諸葛亮狠想猛想，終於想了個引蛇入洞的法子。諸葛亮：「魏延聽令！據可靠消息稱，明天孟獲去請的藤甲兵就要到了，我選來選去覺得你去最合適！」

魏延：「聽說藤甲兵刀槍不入，很牛逼的，丞相！你還是饒了我吧！」

諸葛亮：「靠！你不會勝，還不會敗？我要的就是你這種敗的效果，並且還要連敗十五陣，直把藤甲兵引誘到這盤蛇谷內，OK之後！你就大功告成了。」

魏延：「呵呵！我好像有點明白了。」

諸葛亮又吩咐馬岱：「你負責在谷裡埋地雷。」

馬岱領命：「是！」

諸葛亮又叫住趙雲：「你負責往谷裡邊扔火把。」

趙雲也領命而去。

第二天，魏延領兵前去挑戰，PK了沒幾下便往盤蛇谷的方向跑，兀突骨要追，孟獲阻止：「說不定前面有埋伏，諸葛亮那可是大大的狡猾。」

兀突骨：「靠！我這藤甲刀槍不入，他就是有埋伏又能如何？」

孟獲：「我可是醜話說在前頭，你如果不聽我的，後果自負！」

兀突骨：「天下是打出來的，不是嚇出來的，我偏不信那邪。」於是就領著藤甲兵向魏延追去。

魏延見藤甲兵離得遠了就坐在那等，看到藤甲兵追上來了就又跑，如此反覆了十五陣後就進了盤蛇谷。兀突骨一路追下來，眼看著魏延跑進了盤蛇谷消失了。環顧山谷的左右上方也不像能藏住人的地方，兀突骨大怒：「靠！你這鳥人打不過就打不過，還挺會戲弄人呢！弟兄們！給我往死裡追！」

眾藤甲兵剛到谷中心就踩中了連環地雷，被炸得哭娘喊爹。趙雲在谷上聽到叫喊聲，就吩咐眾士兵點著了火把往下扔。這藤甲在油裡浸過十幾遍，見火就著，藤甲兵爹娘喊了一陣子就沒了動靜。孟獲許高勞務費誆來的三萬藤甲兵全軍覆沒，一個沒剩。

話說孟獲正在寨裡等好消息，間諜來報：藤甲兵全被諸葛亮燒死了。孟獲大驚失色，正考慮著往哪個方向跑，張嶷、馬忠帶來了一千多蜀兵來到寨前。

孟獲：「我認輸了，再狡猾的狐狸也逃不過獵人的獵槍，大鬧大宮的孫悟空逃不出如來佛的手掌，我孟獲挖空心思、費盡心機，終於，我還是PK不過諸葛亮，我舉手，我投降！」

第73回

空城計騙倒司馬懿

司馬懿見招拆招，沒幾天就親帶十五萬大軍攻到了諸葛亮的老窩西城縣。此時諸葛亮已經是光桿司令，沒有一兵一將可調，情急之下……

話說諸葛亮制服了孟獲剛回到成都，情報人員急報：魏國皇帝曹丕死了，十五歲的兒子曹叡即位。蜀國文武齊聲「耶耶」歡呼，眾人紛紛說：「曹叡一個小屁孩當皇帝，咱們趁火打劫幹了魏國。」

諸葛亮砸板磚：「現在時機還不成熟，聽說魏國的司馬懿相當牛逼，等他老死了咱再打。」

馬謖：「靠！等司馬懿老死了，那曹叡不也長成大氣候了？」

諸葛亮：「你說的倒也是啊！那怎麼辦？」

馬謖：「人家說你諸葛亮神機妙算、詭計多端，我看也是徒有虛名，你想啊！曹叡一個小屁孩很好騙，只要咱們散布些謠言，離間一下不就……哈哈哈哈！」

諸葛亮：「切！我想的全讓你說出來了。」

馬謖：「你諸葛亮果然是大大的狡猾。」

不幾天，鄴城內外遍傳司馬懿要軍事政變，曹叡急得嗚嗚嗚大哭。

華歆：「小皇帝！不要哭啦，擦乾眼淚，你把司馬懿喀嚓不就得了？」

曹叡想了想又說：「他那麼大，我這麼小，我如何能喀嚓得了？」

王朗：「他雖然人大，但只是個大將軍，你雖然人小，但是個皇帝，你沒聽說過官大一級壓死人？你讓他死，他還敢不死？」

曹睿正要下旨，曹真說：「不可，司馬懿打仗殺敵可是把好手，你如果把他喀嚓了，以後什麼時候急著用，可就後悔莫及。不如把他的官一抹到底，什麼時候想用，官復原職不就OK了？」

曹睿：「你們大人怎麼總把事情想得這麼複雜？兩個說要喀嚓，一個說不要喀嚓，我聽誰的呢？」

華歆：「二比一，少數服從多數吧？」

曹睿看看華歆，看看王朗，又看看曹真說：「我看你最面善，不像壞人，又和我同姓，我還是相信你吧！」

於是，司馬懿一下子就由大將軍變成平頭老百姓了。

陰謀得逞後，諸葛亮就帶了三十多萬兵向魏國漢中進發。曹睿得報後急得嗚嗚嗚大哭：「諸葛亮爲什麼打我？他爲什麼不講理？」

駙馬夏侯楙說：「小皇帝有所不知，這天下本來就是弱肉強食，誰強誰有理。」

曹睿：「那我怎麼辦？」

夏侯楙：「小皇帝！你放心，強中更有強中手，我這就把諸葛亮給你捉來！」

曹睿一聽，拍著兩隻小手：「這個好！我喜歡！聽說大都督這官挺大的，我就送你了。」

卻說這夏侯楙金玉其外敗絮其中，中看不中用，打了沒幾個回合，就被王平活捉了去。諸葛亮又略施小計得了魏國的大將姜維，以及冀城、天水、上邽三地。

曹睿得知後又嗚嗚嗚哭，哭了一段落後問：「各位叔叔、大爺！咱們這麼大一個魏國，就沒有一個能PK過諸葛亮的能人嗎？」

眾人沉默，沉默，再沉默，突然七十六歲的王朗站出來說：「有！」

曹睿破涕爲笑：「誰？」

王朗：「遠在天邊，近在你眼前，我！」

曹睿歪著頭問：「你有什麼能耐？」

王朗：「罵街！我老婆是個遠近聞名的潑婦，自從她下嫁給我後，我偷學成材，又經過這幾十年深造，現在我罵人已經是爐火純青、登峰造極。」

眾人都哄堂大笑，曹睿：「你能把諸葛亮罵退？」

王朗：「我要用我畢生所學，罵得他諸葛亮天昏地暗、狗血淋頭、知難而退，如果超水準發揮的話，當場把他罵死也是有可能的。」

曹睿聽了大喜，即派王朗前去罵陣。

令王朗意外的是，諸葛亮在家也深諳此道，只是平時在眾將士面前不好意思顯山露水而已，今天見王朗前來罵陣，那是正中下懷。

諸葛亮畢竟比王朗年輕，再加上在家勤於操練，所以心快口快，直罵得王朗天旋地轉、口吐白沫。王朗今天會了諸葛亮方才知道天外有天，山外有山，高人之外更有高人，最後大叫一聲栽死於馬下。

話說曹睿得知王朗沒能罵過諸葛亮後，急得像熱鍋裡的螞蟻，鐘繇說：「咱們有大將軍司馬懿，爲什麼放著不用呢？」

曹睿聽了眼前一亮，於是司馬懿又官復原職了。

卻說諸葛亮連勝幾場心裡很爽，就大開Party慶祝。正在這時，李豐跑過來說：「報告丞相，我有兩個消息，一個好消息一個壞消息，你先聽哪個？」

諸葛亮說：「那就先聽壞的吧！」

李豐：「司馬懿又官復原職了。」

諸葛亮大吃一驚，然後又問：「那好的呢？」

李豐：「先前跑去魏國，防守新城的孟達準備在兩周之內軍事政變。」

諸葛亮分析道：「如果司馬懿得到這個情報，按正常的程序應該是寫個平叛申請上傳給皇帝曹睿，就魏國那腐敗樣，沒有個一個多月批不下來，也就是說，司馬懿拿到批文之前黃花菜早涼了。如果我是司馬懿的話，肯定先斬後奏，快的話十天就能領兵到新城把孟達給幹了。不過，各位放心，司馬懿畢竟不如我諸葛亮。」

話說司馬懿得到情報後想都沒想，放下飯碗領著兵就向新城趕去，只八天就把孟達給平了。諸葛亮得知後大驚，急忙傾所有將士前去PK司馬懿。司馬懿見招拆招，見兵將擋，沒幾天就親帶十五萬大軍攻到了諸葛亮的老窩西城縣。

此時諸葛亮已經是光桿司令，沒有一兵一將可調，情急之下，把城門上的牌子取下反過來，用毛筆唰唰唰唰題上「臥龍琴校」四個大字，然後又在街上隨便拽了兩個正在玩耍的小屁孩，並許諾配合得好的話各獎一大把糖。兩個小屁孩聽說有糖吃，果然都樂意獻身。

諸葛亮剛提了破琴，領了小屁孩到城門上的城樓上，司馬懿的十五萬大軍已經到了。眾人來到城下，看城門上掛的並不是「西城縣」而是「臥龍琴校」的牌子，只聽諸葛亮在城樓上扶著琴講道：「今天我先教大家學一、二、三、四、五、六、七，然後再教大家學節拍，再然後教大家學和弦，再然後教大家學裝飾音，再然後教大家……」

一個小屁孩說：「諸老師！這麼多我們哪裡能學會？」

諸葛亮威脅道：「學不會的話，先打屁屁，然後不讓吃飯，然後不讓打遊戲，然後不讓……」

兩個小屁孩聽了嚇得哇哇大哭，只聽得一陣劈哩啪啦打板子聲，兩個小屁孩哭得更厲害了。

司馬懿聽了大怒：「此等暴力老師留他何用？弟兄們！咱們先把他革命了，然後再……」環顧四周，居然空無一人了。

原來，這些將士全是年少過來之人，一聽講課聲就頭疼，一聽說還要懲罰，哪一個還不腳下抹油溜之大吉？

司馬懿朝著城樓上喊：「姓諸的，算你狠！」然後悻悻而去。

第 74 回

司馬懿氣死諸葛亮

司馬懿打開一看，原來是女人的內衣，心中大怒，但仍是笑著說：「你家丞相天天花這麼多精力想歪點子算計別人，你回去後讓他多多保重身體。」

話說諸葛亮兵敗祁山回到漢中後，做了深刻的反省和檢討，認真總結了經驗和教訓，自以爲八九不離十了，就又帶了三十萬精兵向祁山進發。

魏延問：「先打哪？」

諸葛亮說：「先打陳倉！理由是陳倉小，最多能駐三千人馬，咱們有三十萬精兵，打起來心裡也更有底一點，把握也更大一點。」

魏延聽說好打就說：「那讓我先去建首功！」

諸葛亮：「ＯＫ！」

誰知，魏延領兵攻了Ｎ天居然沒有一點進展。諸葛亮很生氣，後果很嚴重，非要把魏延咯嚓了不可。

魏延辯解：「不能怪我太孬種，只能怨守城的郝昭太厲害、太牛逼！」

諸葛亮：「我就不信這邪！」說著就要親自帶兵去攻。

靳祥忙勸阻說：「你先消消氣，只要我老靳出馬，不用動你的一兵一將，就能攻下陳倉。」

諸葛亮驚問：「你有什麼牛逼的方法？」

靳祥：「我能不能先喝口水？」

諸葛亮：「靠！你以爲是讓你做長篇報告？趕快長屁短放！」

靳祥只得嚥了口唾沫說：「我和郝昭是老鄉，打穿開襠褲子那時候我就是他的領導，像偷西瓜、蘋果什麼的，他都聽我的。」

諸葛亮：「那現在呢？」

靳祥：「那就不得而知了，好多年都沒有聯繫了，不過你放心，事在人爲嘛！」

諸葛亮：「那好吧！反正也不費槍不費刀，只是費點唾沫，既省錢又環保。」

靳祥來到陳倉城門口，見了個人就逮住說：「去叫你們老大郝昭出來，就說我是他的老上司！」

那人問：「我就是郝昭，你是靳祥吧！」

靳祥一驚：「我想死你了，想得我都記不得你長什麼樣了。」

靳祥伸了雙手，想摟著郝昭嗚嗚嗚哭一陣子，郝昭問：「聽說你跟著諸葛亮混，該不是爲他當說客來了吧？」

靳祥一愣說：「哪裡的話，我是讓你請我喝小酒的。」

酒過三巡，靳祥一邊啃著雞腿一邊說：「實話實說，我就是來當說客的。」

郝昭生氣：「走！走！走！」

靳祥也來氣：「你也太不夠哥們義氣了吧？總得讓我把雞腿啃完再攆人吧！」

郝昭拿了個雞腿塞到靳祥空著的那隻手裡：「滾！滾！滾！」

靳祥就被郝昭推搡著攆出城去。

靳祥回頭說：「老弟！你再考慮考慮！」

郝昭：「你回去給諸葛亮說一聲，讓他是馬是驢儘管拉出來溜，就是別使花花腸子，不頂事！」

靳祥回營給諸葛亮一說，諸葛亮大怒：「溜就溜！」

諸葛亮吩咐眾人架雲梯登城，郝昭見了就命士兵用箭射。諸葛亮見不好使，就換用衝車，郝昭見了就命士兵用彈弓打。諸葛亮見還不頂事，就又讓人挖地道，郝昭聽得動靜就命人在城內挖深溝，進來一個捉一個，進來兩個捉一雙。

諸葛亮氣得無計可施，正鬱悶，又聽說魏將王雙帶兵來PK，諸葛亮派謝雄去堵，過了一會兒還不放心，又派龔起去堵。又過了一會兒，正想問戰況如何，兩路人馬紛紛來報，謝雄、龔起早被王雙砍死多時了。諸葛亮膽顫心驚，又派廖化、王平、張嶷三人去堵，結果還是大敗而回。

諸葛亮找姜維商量：「看來不使狠招不行了，我看你就獻身詐降一次吧？」

姜維說：「爲了國家，爲了人民，爲了……我想先問問，有生命危險嗎？」

諸葛亮把胸脯拍得超響：「絕對沒有，你只要把我寫的這假降書抄一遍就OK了，抄完後寄給司馬懿……喔，不行，司馬懿腦瓜子太好使，就寄給曹真吧！曹真的IQ稍低一點。」

曹真接信果然中計，魏軍大傷元氣。從此以後，司馬懿更是一朝被蛇咬十年怕井繩，號令各軍嚴格執行四字方針：堅守不出，以不變應萬變，縱使你諸葛亮有千條計也是瞎子點燈白搭蠟。

諸葛亮實在無計可施，就整了個精美的盒子，讓一個蜀兵送給司馬懿。司馬懿打開一看，原來是女人的內衣，拿起來，下面還有一封信，信中寫道：

小司：

你好！我現在越來越懷疑你是不是男人了，如果是的話，為什麼像小女生似的，不敢以男人的方式出來PK一番？

小諸敬上

司馬懿看後，心中大怒，但仍是笑著說：「替我謝謝你家丞相的好意啊！」

蜀兵不解：「你不生氣？」

司馬懿：「我生什麼氣？我有個小蜜正吵著要我給她買套蜀國的名牌內衣呢！對了！你家丞相天天花這麼多精力想歪點子算計別人，那他吃得一定很多吧？」

蜀兵實話實說：「不多。」

司馬懿：「像他這般日理萬機、廢寢忘食，吃得又像小女生般少，如何能長久呢？你回去後讓他多多保重身體。」

蜀兵回營後如實說於諸葛亮，諸葛亮「啊」的一聲吐血不止，昏絕在地，姜維等眾人頓時嗚嗚嗚痛哭起來。

過了一小會兒，諸葛亮把眼睛眨了幾下又睜開了，姜維見了破涕爲笑：「我知道你爲了國家、爲了人民，捨不得這麼早就去死。」

諸葛亮：「那倒不是，我是還有一個心願沒有完成，我死不瞑目啊！」

姜維：「什麼心願？儘管說！」

諸葛亮：「我名字叫亮，亮了一輩子，不想就這麼黑燈瞎火地去死，我想讓你們這四十九個人全穿上黑衣服來襯托我的亮。還有，再整四十九盞小燈圍成圈，裡面再放七盞大燈也圍成圈，最裡面再放上一盞代表我的特大號燈，我要讓它們亮上七天七夜。只有這樣，我才覺得有點創意；只有這樣，才能不辜負我英雄一世的威名；只有這樣，才能遂了我的心願；只有這樣……就先說這麼幾個理由吧！」

於是，眾人就照諸葛亮說的辦了，並輪著穿上黑衣服在諸葛亮的身邊守了六天六夜。話說魏延是個勤儉持家之人，聽說後就風風火火撞了進來，嚷嚷道：「這是哪個敗家子出的餿主意？什麼叫節約，你們懂嗎？現在國際油價一天比一天看漲，你們知道嗎？伊拉克就是因爲油滅的國，你們沒忘吧？我……我……氣死我了，我還是把它們吹滅先。」

諸葛亮聽了氣得大叫一聲「嗚呼」而後哀哉，享年五十四歲！

又過了N年，孫權也去世了，自此，三國最主要的風雲人物曹操、劉備、孫權、諸葛亮、關羽、張飛、周瑜、司馬懿……全都一一謝幕。

蜀國自從沒有了諸葛亮便日漸衰敗，皇帝劉禪眼看著要破產了，只得投降了魏國，魏國不但沒有咯嚓劉禪，還封他爲安樂公。

此時，司馬懿的孫子司馬炎見當皇帝挺好玩兒又有利可圖，就拷貝了當年曹丕以魏替代漢的手法，如法炮製以晉替代了魏，真是十年河東，十年河西。

吳國皇帝孫皓見劉禪投降後樂不思蜀，混得還不錯，便也盜版了劉禪的方式投降了晉國，至此魏、蜀、吳三國歸晉。

• 全書完

三國可以很爆笑之2：三國鼎立／
七月來雪著.—第1版.—：台北縣，亞洲圖書
2010〔民99〕面；公分.-（History；34）
ISBN◉978-986-6514-43-2（平裝）

History 34

三國可以很爆笑
之2：三國鼎立

作　　者　七月來雪
社　　長　陳維都
藝術總監　黃聖文
總 編 輯　陳奕君
主　　編　游雅惠
文字編輯　薛慧筠・林慈穎
助理編輯　朱汶旻
行 政 部　陳詩穎
出 版 者　亞洲圖書有限公司
新北市汐止區康寧街169巷25號6樓
TEL/ (02)26921935 (代表號)
FAX/(02)26959332
E-mail：popular.press@msa.hinet.net
http://www.popu.com.tw/
郵政劃撥 19091443 陳維都帳戶
總 經 銷　旭昇圖書有限公司
新北市中和區中山路二段352號2樓
TEL/ (02) 22451480 (代表號)
FAX/(02)22451479
E-mail：s1686688@ms31.hinet.net
法律顧問　西華律師事務所・黃憲男律師
電腦排版　巨新電腦排版有限公司
印製裝訂　久裕印刷事業有限公司
出 版 日　2010 (民99) 年9月 第1版第4刷
2013 (民102) 年9月 第1版第7刷
ISBN◉978-986-6514-43-2 條碼 9789866514432

普 天 之 下 ‧ 盡 是 好 書
普天 出版家族
Popular Press Family
凌雲 文創
A-Plus Creative Company

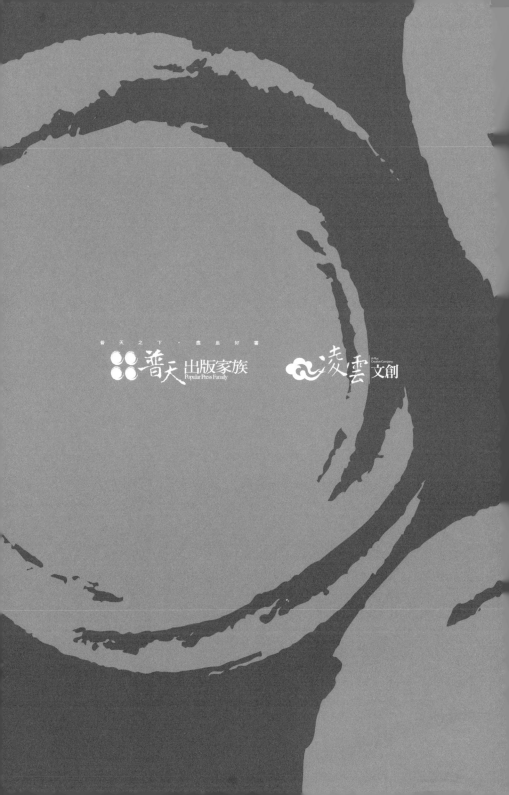